# うさぎパン

瀧羽麻子

幻冬舎文庫

目次

# うさぎパン

一学期最後の日、大変なことが起こった。

大変なこと、というのはちょっとおおげさな言いかたかもしれない。実際には、成績が少し悪かっただけのことなのだから。

問題は、そのことについて、わたしとミドリさんの受けた印象がまったく違ったというところにある。ありがちな見解の相違。ジェネレーションギャップ？　そう考えると、むしろわたしというよりもミドリさんにとって大変なことが起きた、とも言える。

ミドリさんというのは、わたしの義理の母親だ。

いわゆる教育ママというわけではないけれど、極度に心配性で過保護な、かわいそうなミドリさん。「ままはは」という響きがまったく似合わない、おだやかで優しいひとだ。今年、確か三十八になる。ぱっと目立つタイプの美人ではないけれど、品のいい顔立ちと、つややかな黒い髪の持ち主だ。

わたしたちはとても仲がいい。血がつながっていないから、というだけの理由でミドリさんとわたしの仲を疑るひと（たとえば父方の祖母）を、わたしは心の底から軽蔑している。

今、ミドリさんは深刻そうな表情でわたしの持ち帰った成績表をながめている。いくらじっくり見ていても、そこに並んでいる数字は変わらないのに。

「そんなに気にしなくていいと思うよ？」

場を和《なご》ませるために明るく言ってみたけれど、ミドリさんは重々しく首をふる。

「優子ちゃん、そこに座ってちょうだい」

わたしはあきらめて、おとなしくミドリさんの向かいの席に腰かけた。外はこれでもかというくらい晴れていて、部屋の中は明るい。みんみんみんみん、と能天気なセミの声が窓の外から聞こえる。

「これじゃわたし、聡子さんに申し訳がたたないわ」

そうくると思っていたので全然驚かなかったけれど、ミドリさんの沈痛な表情はいつもわたしの気持ちを暗くさせる。

小さい頃からそうだった。わたしが何か困ったことをしでかすと、ミドリさんはわたしの死んだ母親の名前を持ち出した。

正直に言ってしまうと、聡子という固有名詞そのものは、ちっともわたしの心を動かさない。

生物学上の母親であり、わたしが三歳のときに病死してしまったそのひとのことを、わたしは何ひとつ覚えていないのだ。お母さんと呼ぶより聡子というほうがわたしにはしっくりくるくらいで、そう正直に言うと驚かれたり、けげんな顔をされたりする。大人はどうも感傷的になりやすい。

それよりも幼いわたしを悲しくさせたのは、聡子さん、と口にするときのミドリさんがあまりにもさびしそうな顔をすることだった。聡子はもういないのに、ミドリさんだけがいつまでもその影に縛られている、それは子供心にも不当なことに思えた。

ミドリさんにそんな苦労をかける原因となったわたしの父親は、大手の商社に勤めるサラリーマンだ。今年の春から、ロンドンに単身赴任している。わたしの高校合格が決まった直後に転勤の話が出たので、わたしは断固としてついていくのに反対した。ミドリさんがついていくなら、ひとり暮らしなり苦手な祖母の家に住むなりしてでも、絶対に日本に残る、と言い張った。

せっかく希望の高校に入れたのにもったいないという気持ちもあったし、大好きなこの街を離れたくないというこだわりもあったが、そこまで強硬な態度をとった一番の理由は、父に振り回されたくなかったからだ。わたしは父親のことがあまり好きではない。というか、全然好きではない。わたしが血のつながりにたいした思い入れを持てないのは、こんなところにも原因があるのかもしれない。

「聡子さんが死んでから、あの子はすっかり変わっちゃってね」

祖母が言ったことがある。

「でも、男手ひとつであんたを育てるわけにはいかないでしょう？」

だからこのひと（祖母はミドリさんのことを名前で呼ばない。その場にいるときには「このひと」、いないときには「あのひと」と言う）と再婚したんだよ。わたしもできるだけ手伝うとは言ったんだけどねえ。

わたしはすっかり憤慨した。そんなことをためらいもなく口にする祖母に対して。

そしてもちろん、父に対して。ミドリさんもわたしも馬鹿にされていると思った。当のミドリさんはというと、嫌な顔をするでもなくぼんやりと微笑《ほほえ》んでいて、それにも腹が立った。

「おばあちゃんってさ、なんであんなに無神経なんだろうね？」

祖母の家からの帰り道、ミドリさんにそう言った。

「そんなこと言っちゃいけません」

珍しく強い調子でしかられて、なんだか納得いかなかった。

ミドリさんの心労をとりのぞくべく美和ちゃんが我が家に呼ばれたのは、その一週間後だった。ミドリさんは意外と行動が早い。

もちろんわたしは、家庭教師をつけるなんて面倒で気が進まなかった。でも、長い夏休みの間中、ミドリさんに聡子攻撃をかけられ続けるのも嫌だった。それに、高校に入って早々にこの成績では、やはり少しまずいかもしれないとも思った。ミドリさんに影響されたわけではないけれど。

「先生がいらっしゃるから」

その日、ミドリさんはお菓子を買いに行き、新しいスリッパをおろし、玄関に花まで飾った。リビングでテレビを見ていると、ほら優子ちゃんも自分の部屋をかたづけて、と追い払われた。はりきっているときのミドリさんに水をさすのは、あまりかしこいことではない。

わたしはおとなしく部屋に避難し、ベッドに寝転んで漫画を読んだ。階下から、ごおんごおんと掃除機の音が聞こえてくる。

そういえば、この家に人が訪ねてくるなんて何年ぶりだろう。

父もミドリさんも家に人を招かないし、わたしの友達が遊びに来ることもめったになかった。友達がいないわけではないけれど、小学校も中学も私立の女子校だったので、近所に住んでいる子がいないのだ。

クラスメイトの中でもわたしの家は特に学校から遠く、電車とバスを乗りついで二時間もかかる。その距離が、高校まで一貫教育のその学校を出て高校受験することに決めた大きな理由だった。ふんわりとのどかなお嬢さん学校らしい空気を、わたしは決して嫌いではなかったのだけれど。

九年間一緒に過ごしてきた級友たちとの別れはつらかった。中学の卒業式では、クラス中の子と一緒に記念写真を撮りまくった。わたし以外のみんなは、また四月から同じ場所で同じ友達との学校生活が始まるのだから、卒業といってものんびりしたものだ。泣いていたのは、わたしと、わたしと特に親しかった何人かの女の子たちだけだった。それから、もらい泣きして涙ぐんでいるミドリさんも。

「学校が違っても一緒に遊ぼうね」

わたしたちは約束しあい、事実、何度か誘いあわせて遊びに行った。でもなんとなくお互いに居心地が悪く、そのうちメールのやりとりも疎遠になった。

小学校受験は、祖母の意向だった。さすがにそのときには祖母や父に対して反抗心などなかった幼稚園児のわたしは、言われるままにテストを受けて無事に合格し、みんなにほめられて得意でさえあった。

「聡子さんが喜ぶだろうねえ」

祖母は涙までうかべていた。聡子もその学校の出身なのだとわたしはそのとき初めて知った。

それにしても、実の娘でもないというのに、なぜ祖母はあんなに聡子の肩を持つのだろう。わたしにはよくわからない。普通、嫁と姑というのはいがみあうものじゃないだろうか？　よくドラマでもやっている。

何気なくそう考えて、

「あぶないあぶない」

つい、声が出た。ドラマでは、義理の母娘だってよくいがみあっている。

先入観はものごとをややこしくする。わたしは、そういう大人《おとな》にだけはなりたくない。


「かたづいた？」

不意にドアが開いたとき、もちろん部屋はかたづいてなどいなかった。

わたしは漫画を手に持ったまま、ぽかんとしてミドリさんを見た。掃除機の音が近づいてくるまで、と思っていたのに、いつのまにか熱中していたらしい。

「優子ちゃんってほんとにおそうじ嫌いだねえ」

怒られるかと思って身構えたら、どちらかというとあきれた口調だったのでほっとする。

「時間がないから一緒にやろうか？」

わたしはあわてて断って、そのへんに積み重なっている本やノートをクローゼットに放りこみ始めた。

「それじゃあかたづけたことにならないよ」

ミドリさんは言ったが、

「だって、もう先生来ちゃうでしょ？　何時の約束なの？」

十一時、とミドリさんが答えたのと、玄関のチャイムが鳴ったのが同時だった。

「ほら言ったでしょ」

ミドリさんがあわててドアを開けに行く。

十時五十八分。美和ちゃん、記念すべき初登場。

ついでにもうひとつ記念すべきことがある。美和ちゃんが早めに現れたのはこれが最初で最後だった。

美和ちゃんのことを、わたしは最初、先生と呼んでいた。美和ちゃんはわたしのことをゆうこ（なぜか、優しいに子供の子の「優子」ではなくて、ひらがなの「ゆうこ」に聞こえる。そこにどういう違いがあるのか、説明はできないけれど）ちゃんと呼ぶ。初めて会ったときから。

でも先生と呼んでいた頃も、はっきり言って、美和ちゃんはあんまり先生っぽい感じじゃなかった。こんなことを言うのはステレオタイプ（固定観念のことをカタカナで言うとこうなる、と美和ちゃんが教えてくれた。響きがいかにも頭が固そうで、ぴったりだと思う）なのかもしれないけれど、なんていうか、美和ちゃんには威厳というものが欠けている。

「こんにちは」

「はじめまして」

あいさつしあうミドリさんと美和ちゃんの声を聞きながら、わたしは二分間でなんとか机の上のものをクローゼットの中に移動させた。勢いよく部屋を出て、ばたばたと階段を駆け下りると、美和ちゃんは脱いだ靴をそろえて顔を上げたところだった。ばっちり目が合った。

「こんにちは」

美和ちゃんはわたしに向かって、おじぎをした。本式のおじぎだ。

「こんにちは」

こんにちは合戦。わたしもつられて、深々と頭を下げる。

美和ちゃんの足の爪は赤かった。

「どうぞ、どうぞ」

暑かったでしょう？　とか、道には迷いませんでした？　とか言いながら、ミドリさんはリビングに美和ちゃんを案内する。わたしもそのあとに続いた。

後ろから見ると、美和ちゃんはわたしよりもかなり小柄だった。髪の毛は栗色で、ふんわりカールしている。地毛だろうか、パーマだろうか。自分の髪の毛がかたくなまでに真っ黒かつまっすぐなので、わたしはこういうやわらかい髪質にかなりあこがれる。

リビングは冷房をきかせてあった。ソファに向かい合わせに座ると、美和ちゃんは少し緊張しているように見えた。わたしも内心は緊張していたけれど、なにせ自分の家だしミドリさんもいるし、やっぱりだいぶ有利だ。わりと余裕を持って美和ちゃんを観察できた。

美和ちゃんが座ると、ふたりがけのソファがいつもよりも断然大きく見える。身長というよりは、体のつくり全体がほっそりとしていて華奢《きゃしゃ》なのだ。肩幅だってあきれるほど狭い。顔も小さくて、でも目と口は大きい。好みにもよるかもしれないけれど、けっこう美人に分類されると思う。童顔だから、美人というよりはかわいいという感じかな。高校生と言ってもとおりそうだ。化粧っけもほとんどない。フリルのついたベビーピンクのノースリーブに紺色の半端丈《はんぱたけ》のパンツを合わせ、手首には細い銀の鎖が二本まきついている。


「まあまあふたりとも怖い顔しちゃって」

お茶を運んできたミドリさんが、ほがらかに言う。

美和ちゃんははっとしたように顔を上げ、わたしの目を三秒間くらいじっと見て、それからにっこり微笑んだ。わたしの目の中になにか探していたものが見つかった、という感じの微笑みかただった。微笑むと、少し大人っぽくなる。わたしも同じように微笑み返そうとしたけれど（礼儀として）、どきどきしてしまってあまりうまくいかなかった。

ミッシェルのシュークリーム（ミッシェルは家のすぐ近くにあるケーキ屋で、ここのシュークリームはわたしとミドリさんのお気に入りだ。生クリームとカスタードクリームが半々のやつがおいしい）を食べながら、わたしたちはぎこちなくとりとめのない会話をした。

こういうとき、ミドリさんはとてもしっかりするので、わたしはひそかに感心してしまう。こういうとき、というのは、学校の個人面談のときとか、ご近所から回覧板が回ってきたときとか。大人のひととしゃべるときのミドリさんは、いつも毅然《きぜん》としていて大人らしい。いつもの気が弱くて、すぐにおろおろしてしまうミドリさんとは別人みたい。

今回もミドリさんが主導権を握り、美和ちゃんとわたしの個人データをそれぞれにインプットしていった。美和ちゃんもわたしも、黙々とそれを消化する。シュークリームと一緒に。

美和ちゃんは、大学院の二年生だと言った。

「来年からは博士課程に進むんです」

もちろんわたしはハクシカテイというのがなんなのかよくわからなかったけれど、まあすごいわねえ、とミドリさんが言うので一緒にうなずいてみた。

「何を勉強なさっているんですか」

ミドリさん・大人バージョンは、会話のきっかけを逃さない。

「物理学です」

物理学。

あんまりそれっぽくないな、と思った(これもステレオタイプ?)。わたしの知っている「物理」といえば、薄暗い地下室で白衣を着ていろいろな実験をして、たまになにか爆発させてしまうような、そういう危ないイメージがある。目の前の女のひとにはうまく重ならない。

一瞬のまがあったので、隣のミドリさんもそう思ったということがわかった。

でも、ミドリさんはすかさず、それは難しそうね、女の子で理系ってめずらしいんじゃない、とかなんとか言って会話をまとめようとした。ところが、

「まあ、あまり勉強はしていないんですけど」

わたし、あんまり勉強が好きじゃなくて。美和ちゃんがおだやかに言うので、今度こそさすがのミドリさんも返答に困った。

家庭教師が、生徒とその保護者に向かって、そんなことを言っていいのだろうか?

教育上よくないんじゃないのかな？

「でも大丈夫です、高校の頃はきちんと勉強していたので」

そういう問題ではない、とわたしもミドリさんも思ったが、美和ちゃんには伝わらなかったようだ。相変わらずにこにこしながら、シュークリームをおいしそうに食べている。

「このシュークリームおいしいですね」

ミドリさんはシュークリームをいくつ買ってきたのだろう。もうひとつずつ食べられるだろうか。そんなことを思いながらミドリさんを横目でうかがうと、少し元気がなくなっているように見えた。

わたしのほうは、なんだかうきうきしてきたのだった。


思ったとおり、美和ちゃんとわたしは気が合った。

思うに、家庭教師を選ぶときに、学歴とか実績（今まで何人の生徒を志望校に合格させたか、とか）なんてことにはたいして意味がない。

大事なのは、相性。

これは塾や学校の先生にもあてはまることなのだろうけれど、家庭教師の場合は一対一なので、よりその度合が高まる気がする。

そして美和ちゃんの家庭教師としての腕、つまり勉強の教えかた、のほうも意外と悪くなかった。それどころか、かなりよかった。丁寧だし、わかりやすい。学校の授業の百倍くらいわかりやすい。しかも、どんな科目でも教えてくれる。

週二、三回教えてもらっていてすぐにわかったのは、そのとらえどころのない外見とは裏腹に、美和ちゃんはかなり論理的なものの考えかたをするひとだということだった。ミドリさんにそう言うと、

「やっぱり物理学だからかしら」

と言う。わたしも同じように思っていたので、笑ってしまう。こんな瞬間に、わたしたちって親子だなあとしみじみ思う。

しかも美和ちゃんが通っているのは、全国でベスト5に入る偏差値を誇る、超難関

大学なのだ。世間知らずのミドリさんやわたしでさえ名前を知っている。

「先生、実は頭良かったんだ……」

ミドリさんはあわてて、失礼なこと言わないの、とわたしをたしなめたけれど、自分もそう考えていたことは明らかだった。

だからもちろんＩＱは高いのだろうけれど、勉強が嫌いだというだけあって、勉強の楽しさとかすばらしさを説いてくるようなこともない。

「どうしてこんなわけのわからない数式を解かなきゃいけないの？」

「現代日本に生まれたわたしが、役にも立たない古文の助動詞活用を覚える必要ってあるの？」

「ていうか、元素記号って意味あんの⁉」

わたしが文句を言うたびに、美和ちゃんはきちんと答えてくれる。

「頭は使わないとなまっちゃうのよ」

とか、

「忍耐力を養うためだよ」

とか、

「世の中に必要なものしかなかったら、とんでもなく殺風景なことになるわよ」

とか。

そして決まって、だってゆうこちゃんは高校生でしょう、と言うのだった。

「まだ若いんだから、意義のあることだけに集中するには早すぎるよ」


「それって理想の家庭教師じゃん？　いいなー」

親友の早紀に美和ちゃんの話をしたら、ものすごくうらやましがられた。

早紀とは一学期の間ずっと隣の席で、自然と仲良くなった。中学ではバレー部の主将をやっていたとかで、背がすらりと高くて運動神経ばつぐんの、さばさばした子だ。顔立ちは整っているしスタイルもいいのだけれど、「なぜか男子より女子にもてちゃう」のが悩みだと言う。

ちなみに口ぐせは、「信じらんない」。早紀にかかると、一瞬にして世界は驚きに満ちた場所になる。

早紀の家庭教師は男のひとで、教えかたは悪くないのだけれど、

「めがねかけてて小太りだし、おしゃれじゃない」

上に、

「勉強が人生の中で一番重要だと思ってるタイプ」

だそうだ。

「信じらんないでしょ？　もー、ぜんっぜん話が合わないんだよねー」

駅前のアイスクリーム屋でマンゴーアイスをなめながら、早紀は息まいた。怒っているときの早紀はりりしい。ひさしぶりに会うので休みの間の近況報告をしていて、その話になったのだ。

バーゲンに行った帰りだった。どこも殺人的に混《こ》んでいて疲れたけれど、早紀はミニスカートとタンクトップ、わたしは古着っぽい花柄のワンピースとジーンズを買えたので、ふたりともとりあえずは満足していた。

「だいたいさ、あんなの見てたら大学行きたくなくなるよ？」

「それは言いすぎじゃない？」

たしなめても、

「いや、あれは絶対病気。有名大学がなんだっていうのよ！　いばってんじゃないわよ！」

スイッチの入ってしまった早紀は、誰にも止められない。わたしはもう慣れているのでそれ以上は気にせず、ラムレーズンを食べながら、早紀の気がおさまるのを待つことにした。

ガラス越しに、大勢のひとたちが目の前を行き過ぎていくのが見える。夕方の陽ざしを浴びて、なにもかもがオレンジ色っぽく染まっている。店の中はよく冷えているけれど、外は暑そうだ。

帰ったらミドリさんに戦利品を見せよう、と思った。それと、世の中の家庭教師事情の現実についても教えてあげよう。

実際は、花柄のワンピースはミドリさんよりも美和ちゃんに好評だった（もともとミドリさんは古着が苦手だ。若い頃にこんなのが流行《はや》っていたわ、と必ず言う。あまりなつかしくなさそうに）。

「いいでしょう」

反応がよかったのでうれしくなって見せびらかすと、美和ちゃんはしげしげと手にとってながめ、

「飽きたらちょうだい」

とまで言った。

「ねえ、どうかな？」

よほど気に入ったらしく、胸にあててみたりしている。わたしよりもむしろ美和ちゃんに似合いそうな気がしてきて、くやしくなって取り返した。

親しくなるにつれて、わたしは美和ちゃんにいろんな話をするようになっていった。ちょうどわたしが美和ちゃんを先生と呼ぶのをやめた頃からだ。

「ねえゆうこちゃん、おねがいがあるの」

ある日、珍しく改まった調子できりだされ、

「なに？　お月謝の交渉ならわたしじゃなくてミドリさんだよ」

ふざけて言い返したら、そんなことじゃなくて、と美和ちゃんは言った。先生って言うの、やめてくれない？

「おちつかないんだけど」

「どうして？　先生は先生でしょ」

「だってミドリさんのこともママじゃなくてミドリさんって呼んでるじゃない？　美

和さんか美和ちゃんって言ってよ」

「だってミドリさんはママじゃないもん」

わたしはすでに、うちの家庭の事情についても美和ちゃんに話してしまっていた。美和ちゃんはあまり感情移入せず、そうなんだ、とうなずきながら聞いていた。予想どおり、困った顔をしたり同情したりというありがちなリアクションをしなかったので、話して正解だったと思った。

「まあいいや、じゃあ美和ちゃんでもいい？　美和さんだと語感が悪い、なんか名字みたいに聞こえるし」

わたしが言うと、美和ちゃんはうれしそうだった。

「若返った感じがする」

「十分若いじゃん、ミドリさんに怒られるよ？」

わたしがあきれると、

「ゆうこちゃんにはわからないのよ」

とため息まじりに言う。おばさんきどり、と言い返しかけたら、

「わたし、四捨五入するともう三十代なのよ？」

まだ十五歳のわたしは、黙らざるをえない。十年という長さは、確かにちょっと想像もつかない。

美和ちゃんには、ミドリさんにはちょっと言えないようなこともすんなり言えた。わたしはミドリさんと仲がいいけれど、でも、娘としての立場というものもあるのだ。親に話せないトピックは年々増えていく。わたしのためにというよりは、どちらかというとミドリさんのために。

たとえば、富田くんのこと。

わたしは今まで女子校だったので、男の子とか恋愛とか、そういうことに関しては「かなり遅れてる」と早紀には常日頃から言われていた。

「女子だけの毎日なんて信じらんない！　よくがまんできたよね？」

やっぱりお嬢様って違うよねえ、などととんちんかんなことを言う。

早紀はというと、中学校の三年間で、通算二十三人の男の子を好きになったという。ということは一年にだいたい八人の計算で、つまり一ヶ月半ごとに好きなひとが変わったということになる。それが早紀の言うように、「世の中の平均」なのかどうかは謎だけれど。美和ちゃんも、

「それはちょっと多いんじゃない？」

と首をかしげていた。

「でも、今まで誰のことも好きになったことがないなんて、そっちのほうがよっぽどおかしいって」

いくら女子校だからっておくてすぎるよ、と早紀は言う。

「よかったねえ、富田と同じクラスになって」

早紀は勝手にもりあがっているけれど、富田くんが本当に早紀の言う意味での「好きなひと」にあたるのか、わたしにはよくわからない。わからないのだけれど、なんとなく、気になる。ミドリさんに学校の話をするとき、早紀の名前は出てくるのに富田くんが登場しないのは、このもやもやした気分と関係があるのだろう。

始まりは、パンだった。

よくあることだけれど、第一回目のホームルームは、自己紹介だった。この高校は地元の中学から上がってくる子がほとんどなので、みんなお互いに顔見知りだ。わたしは初めから、ちょっとした転校生のような扱いを受けていた。まだ早紀とも仲良くなる前で、このまま友達ができなかったらどうしよう、と本気で心細かった。今から思えば、まるで小学生レベルの悩みなのだけれど、わたしは変なところで小心者なのだ。慣れない共学の雰囲気も、わたしをひるませた。

自己紹介はいたって適当に進んでいった。ちゃんと聞いているのはわたしくらいだったと思う。担任の、平板な顔をした中年の女の先生も、がやがやと騒がしいのをとがめるでもない。

ひとりひとりの名前と顔を頭にたたきこみながら、わたしのときもなんとなく流れてくれますように、と祈るような思いでいたが、やはりそうはいかなかった。わたしの順番がくると、教室はしんと静まった。

わたしはいたたまれない思いで立ち上がり、名前と住んでいるところを言い、なぜ

ここに転校……ではなく入学してきたかを説明した。よろしくお願いします、と言って座ろうとしたそのとき、誰かが突然、

「好きなものはなんですか？」

とさけんだ。

好きなもの？

唐突に聞かれ、わたしは頭の中がまっしろになった。たぶん質問の意図としては趣味・特技あたりが聞きたかったのだと思うけれど、わたしはとっさに、

「パンです」

と言ってしまった。

パン？

教室の空気が少しとどこおる。みんなちょっと困った顔をしているのがわかった。しまった、つっこみにくいコメントをしてしまった。

「はい！　僕もパンが好きでーす」

そのとき、ななめ前の席の男の子が立ち上がって、おおげさな身ぶりで握手を求めてきた。みんな一瞬きょとんとして、そしてどっと笑う。

「文化祭は一緒にパン屋やりませんか？」

おまえとはやらねーよ、と野次《やじ》られつつ、富田くんはわたしの手を握ってぶんぶんとふった。手のひらが熱かった。

早紀によると、ここですでにわたしは「ふらっときちゃった」らしい。

「あれで富田は差をつけたわけだ」

優子は気になるひととかいないの、としつこく聞かれてしぶしぶうちあけると、何度もうなずきながら早紀は言った。さすが百戦錬磨、察しが早い。


あまり自己紹介向きではなかったけれど、実際、わたしは本当にパンが好きだ。三食パンでも全然困らない。食べるだけではなく作るのも好きで、週末には必ず焼くことにしている。ミドリさんもパンが大好きなので、この習慣は歓迎されている。

中学でもそうだったけれど、女の子にはパン好きが多い。ホームルームの直後の休み時間にはいろんな子がわたしの机の周りに来て、おすすめのパン屋さんを教えてくれた。わたしが転校生気分を味わっているのと同じように、みんなはわたしが引っ越してきたような感覚でいるのだろう。実際にはわたしは生まれも育ちもここなので、たいていのパン屋さんは知っているのだけれど。

聞くところによると、わたしたちの住んでいるこの街は、人口に対してのパン屋・洋菓子屋の数が日本全国の中でもトップらしい。誰が調べたのかは知らないし、本当なのかもわからないけれど、市民の間ではけっこう有名な話だった。

うちから駅までのたった十五分足らずの距離に、パンとケーキを合わせると十軒ほどもお店がある。電車通学をしていた頃は、朝歩いているとパンのいいにおいが漂ってきたものだ。

当然のことながら競争も激しく、新しいお店ができても、人気が出ないとすぐにつぶれてしまう。結果的に、味はかなり高い水準に保たれることになる。

港町として栄えた昔から、多くの外国人を受け入れて異国の文化を吸収してきた土地だから、というのがその理由だそうだ（「進取の気象」っていうのよ、とやはりこの街の住人である美和ちゃん）。言われてみれば、歩いていて外国人とすれ違うことはよくあるし、そのための住宅も多い。ミッシェルのオーナーパティシエも、フランス人と日本人のハーフだと聞いたことがある。

母国からはるか離れたアジアの小さな島にやってきた西洋人たちにとって、おいしいパンやケーキはどんなにか心の慰めになっただろう、なんて思いをはせてしまう。おかげで、わたしたちはシビアな競争を生き残ってきたおいしいパンをいただけるというわけ。ありがたい。

　この高校の近くにも、評判のいいお店が多いらしい。

「今度、お昼休みに買いに行こうよ」

　早紀たちに誘われて、

「学校抜け出していいの？」

　びっくりすると、

「こっそり行くに決まってるじゃん」

　とあきれられる。じゃんけんで負けた子がふたりくらいで、みんなの分を買いに行くのだという。

「でも大丈夫、先生だってそうしてるひと多いもん」

　ねー、と女の子たちが顔を見合わせて笑う。わたしは、なつかしい女子校の空気を少しだけ思い出す。

　富田くんはそのときは会話には入ってこなかった。教室のすみっこのほうで、男の子どうしでかたまって楽しそうに騒いでいるのが、机の前に立つ早紀の肩越しに見えた。一度だけちらりとこちらを見て、にっと笑った気がしたけれど、気のせいだったのかもしれない。

「ね、裏門のそばにできたケーキ屋さんもう行った？」

いつのまにか、早紀たちの話題は新しくできたそのお店のケーキバイキングのことにうつっていた。

「優子も行くでしょ？」

初めて下の名前で呼ばれ、わたしはどぎまぎしながらうなずいた。

「で、優子ちゃんはどんなパンが好きなの？」

一週間ほどして、帰り道にたまたま富田くんに会った。唐突に聞かれ、わたしはまたしても緊張した。しかも、優子ちゃんって呼んだ、今？

「かたくて甘くないパン」

動揺をなんとか隠しながら答えると、

「おれも、おれも」

うれしそうに言う。富田くんは、笑うと犬みたいな顔になる。くしゃくしゃのくせのある髪も、お隣のジョンを思い起こさせた。ジョンは雑種の大きな犬で、わたしが門の前を通るたびにウオン、とあいさつがわりに一声だけほえる。ぱたぱたと激しくしっぽを振りながら。

「パンが好きってほんとだったんだ」

少し意外な気がした。あの気まずい沈黙を破るために、話を合わせてくれたのだとばかり思っていた。

「自己紹介で嘘ついたらだめでしょう」

富田くんは屈託なく笑う。

「じゃあさ、バゲットとかくるみパンとか好き？」

「好き、大好き」

勢い込んで言うと、

「パンが好きってほんとだったんだー」

わたしの口調をまねて、そのままくりかえす。思わずふきだしてしまった。

「自己紹介で嘘はちょっと」

わたしはすっかりうちとけていた。

それからひとしきり、パン談義になった。お互いのパンの好みがぴったりだということを発見して、もりあがった。

わたしは基本的にシンプルなパンが好きだ。生地もかためのの素朴なのがいい。小麦粉だけでなく、全粒粉やライ麦粉などのバリエーションもおいしい。プレーンもいいけれど、トッピングとしては、レーズンやいちじくなどのドライフルーツ、チーズ、あとはハーブなども大歓迎。

「おれは変にこってる菓子パンってだめ、ごてごていろいろのせちゃってさ」

富田くんはいまいましそうに言う。

「やきそばパンとかもね、おかずは別にしてほしい」

わたしも調子を合わせる。

「桜餅パンって、あれ考えたのどこの誰だろうね?」

「コンビニの袋入りのパンも！　あれはパンをばかにしてる！」

富田くんは力強く言い、

「あれ、おれたちちょっと熱くなりすぎ？」

照れくさそうに笑った。

「いや、いいと思う」

わたしがまじめに言うと、

「たかがパン、されどパン」

富田くんは厳《おごそ》かに言った。わたしたちは数秒間黙り、それぞれのお気に入りのパンを思い浮かべた。

「今からパン買いに行く？」

と富田くんが言った。

「行く」

わたしは言い、わたしたちは連れ立って歩き始めた。

並んでみると、富田くんはわたしよりもだいぶ背が高いことに気がついた。さっき話していたときは、さりげなく身をかがめて、わたしの目線に合わせてくれていたのだった。

富田くんが連れて行ってくれたのは、高校から歩いて五分くらいの、小さなパン屋だった。大通りを裏に一本入ったところにあるのでめだたない。この近くを車で通ったことは何回かあるけれど、こんなお店があるとは知らなかった。赤いひさしにアルファベットで店名が書いてある。

「アトリエ」

富田くんが、フランス語らしいよ、と言いながらドアを開けてくれる。

「意味は知らないんだけどね」

お店の中には誰もいなかった。パンのいいにおいがたちこめている。見回すと、いかにもわたし好みの品ぞろえだった。太さと長さの違うバゲットが何種類か、バスケットにささっている。棚には、ふっくらとしたクロワッサン。ぱりっとした表面の小さな丸いパン。雑穀入りと思われる、ごまのまぶされた細長いパン。りんごののった、つやつやしたデニッシュもある。

目移りしていると、太ったおじさんが手をエプロンでこすりながら、奥から出てきた。額にうっすらと汗をかいている。このひとがパンを焼いているのだろう。おじさんの背後には厨房《ちゅうぼう》があり、大きな石窯が見えた。

「いらっしゃい」

言いかけて富田くんに顔を向け、

「ああひさしぶり」

くだけた口調になった。どうやらふたりは知り合いのようだ。富田くんはこのお店の常連なのだろう。

「ひさしぶり」

富田くんも片手をあげて言い、

「高校の友達」

と、わたしのほうを振り返った。わたしは軽くおじぎをした。おじさんはわたしを見ながら、何か言いたそうに口を開け、また閉じる。わたしが待っていると、

「好きなだけ持っていっていいよ」

とだけ言って笑った。細い目がますます細くなる。

「まじで？　ラッキー」

富田くんがはしゃいだ調子で言うと、

「おまえじゃないよ、このお嬢さんに言ったの」

ちぇ、けち親父、と富田くんが舌打ちする。

「これ、うちの父親」

あっけにとられているわたしに向かって、おじさんは急にまじめな顔になって頭を下げた。

「はじめまして、うちのばか息子がお世話になっております」

「ばか息子じゃないだろ、だめ親父」

富田くんはわざとらしく乱暴に言う。おじさんはにこにこしながら、わたしと富田くんを見比べた。わたしも、こちらこそお世話になります、と言った。


パンを選ぶのには時間がかかった。なにしろ、どれもおいしそうなのだ。わたしが迷っているうちに何人かお客さんが来て、それぞれのパンを買っていった。富田くんはいつのまにか紺色のエプロンをつけ、カウンターの中に入ってレジをたたいたり、パンを袋に入れたりしている。

さんざん悩んだ末に、おじさんのおすすめだというバゲットと、ちょうど焼き上がってきたハーブをねりこんだパンに決める。父子でお金はいらないと言い張るので、ありがたくおごってもらうことにした。

うけとった紙袋はきちんと重く、あたたかい。

「ありがとうございましたー」

おじさんに愛想よく見送られてふたりでお店を出るなり、富田くんに、

「すぐ近くに公園があるよ」

にやにやしながら言われた。

「優子ちゃん、今すぐ食べたくてたまらないって顔に書いてある」

公園では、小学生くらいの男の子が何人かキャッチボールをしていた。たまに歓声が上がる。ゆったりと犬の散歩をしているひともいる。

太陽であたたまったベンチに座って、さっそく味見する。ロゴ入りの赤い紙袋の中には、パンと一緒に、小さなクリームチーズのペーストとプラスチックのナイフが入っていた。ウエットティッシュも入れてくれているところを見ると、わたしはよっぽどあせっているように見えたのだろう。

「おいしいねえ」

わたしが幸せな気持ちになりながらつぶやくと、よかった、と富田くんはほっとしたように言った。

「内心、口に合わなかったらどうしようかと思ってたんだ」

あんなに真剣にパンを選ぶお客さんは初めてだよ、と苦笑まじりに言う。

「あんな場所だけど、近所のひとはけっこう買いに来てくれるみたい」

もっとも、最初は大変だったらしい。

「おばあちゃんなんかに、この店にはあんぱんはないの？　とか文句を言われて」

汗をかきながら、おばあちゃんに他のパンをすすめるおじさんが目に浮かぶ。

「もう少しうちに近かったらわたしも通いたいよ」

お世辞ではなくそう思う。ミドリさんもきっと気に入るだろう。

「おうちもあの近くなの?」

何気なく聞くと、

「うん、親父はあの店の二階に住んでる」

富田くんは言った。

「おれは母親と住んでるから。ここからは歩いて十分くらいかな」

両親が離婚したのは、富田くんが小学生のときだった。サラリーマンをしていた父が、突然「パンにとりつかれて」フランスに修業に行く、と言い出したのが発端だったという。

「あれはまさに、とりつかれた、って感じだったね」

家族はもちろん仰天した。

「フランス語もほとんどできないのにね」

パンをかじりながら、富田くんは弱く笑う。そうか、このパンはフランス仕込みなのか、とわたしは思う。

「まあそれでなくても、うちの両親あんまりうまくいってなかったみたい」

淡々と言う。

ろうな」
「うちの母親は超現実的なひとだから、親父の夢みがちなところがいらいらするんだ

夢みがち。おじさんの丸い顔を思い出す。

でもおかしいんだよね、と富田くんは言う。

「最近、また仲良くなってきてさ」

たまに、母が父の店のパンを買ってくることもあるらしい。

父は、三年間フランスにいた。一年前に帰ってきて、自分の店を開いたのだという。

母ははじめ、富田くんが父親に会うのを嫌がった。

「自分と子供を捨ててフランスに行かれたわけだしね」

でもおれの場合は、捨てられたっていう意識はなくて、むしろ帰ってきてくれたことのほうが大事だった。

「パン屋なんてどこでもできるじゃん？」

それなのに、父親は、わざわざこの街に戻ってきた。

「転勤族だったからここに長いこと住んでたわけじゃないし、親父にとってはなんの思い入れもないはずなのにね」

富田くんには、父親が新しい生活を自分たちのそばで始めようと思ったことが、素直にうれしかった。

「フランスに行くとき、親父、絶対帰ってくるって言ったんだ。いいかげんなところはあるけど、言ったことは守るひとなんだ」

「すてきなお父さんだね」

わたしはすっかり感心しながら言った。

「それにしても、このパンほんとにおいしい」

あんなに大きかったバゲットが、もうひとかけらくらいしか残っていない。

「またいつでも買いに来よう」

買いに来て、ではなく、買いに来よう、と富田くんは言った。

空が薄紫色に染まってきていた。ひざのパンくずをはらって立ち上がる。公園の葉桜の上に、細い三日月がかかっていた。

それからも、わたしたちは放課後にいろんなパン屋さんに行った。週一、二回のペースで、わたしが案内することもあるし、富田くんの知っているお店に行くこともあった。パンを買うと、たいてい家までがまんできず、そのへんの公園でふたりで食べた。食べながら、いろんな話をした。

　普通わたしは早紀と一緒に帰るので、

「一緒に来る？」

　一度誘ってみたけれど、

「まさか」

　即座に断られた。

「デートの邪魔なんて、信じらんない」

「デートじゃないよ」

　私があわてて否定しても、

「デートじゃなかったらなんなのよ？」

　早紀はおおげさに顔をしかめる。

「富田に嫌がられるよ」

　わたしはそうは思わなかったが、ちょっとほっとしたのも事実だった。早紀はからかうけれど、これはデートというよりも、同好会の課外活動と呼んだほうがしっくりくる。富田くんとわたしは、部活仲間、あるいは（美和ちゃんいわく）同好の士、ということになる。

　家でのパン作りにも気合が入った。本を何冊か買い、レパートリーを増やした。上手になったら富田くんにも食べてもらおう、と思った。

　梅雨に入って公園が使えなくなると、わたしたちは富田くんの父親のお店、アトリエに行くようになった。厨房の隣に小さな事務室があり、そこでパンを食べたり、宿題をしたりした。レジを打つのを手伝ったり、おじさんがパンをこねるのをながめたりすることもあった。

　夕方、ふっとお客さんが途切れる時間帯があって、そんなときは三人で厨房でパンを食べた。よそのパンを持ちこむのはなんだか気がひけたけれど、

「勉強になる」

　と、おじさんも喜んで試食した。

「ちょっとやわらかすぎる」

「ここのは油っこい」

　いろいろ批判するのはわたしたちふたりで、おじさんはいつも黙ったまま、ほんの

ひと口だけ食べた。ふだんの陽気な表情ではなく、職人らしい、きまじめな顔をするのだった。

八月に入ると、登校日があった。

真っ黒に日焼けしていたり、髪型が変わっていたり、程度の差はあるものの、休み前とは少し違って見える子が多かった。みんな思い思いに夏を楽しんでいるようだ。会わなかったのは一ヶ月足らずのはずなのに、すごくひさしぶりのように思える。休みの間の空白を取り戻そうとするかのように、教室のあちこちで話がもりあがっていた。

学校は午前中で終わったので、富田くんとふたりで少し遠出してみることにした。新しいパン屋さんを開拓しよう、と前から企画していたのだ。

富田くんと顔を合わせるのもひさしぶりだった。富田くんは、夏休みの間アトリエを手伝っている。ほとんど毎日だと言っていたから、お店に行けばいつでも会えるのだけれど（実際、何回かパンを買いがてら遊びに行った）、そうそう邪魔をするわけにもいかない。第一、とりたてて用もないのに顔を出すのは、どうも気が進まなかった。

目的地は、わたしたちの住む街から電車で一時間ほどだった。山あいにあるその都市は、伝統的な町並みが有名で、観光地としても人気がある。中心部にはおしゃれなお店やレストランも集中していて、わたしも何度か買い物には来たことがあった。歩いていると、近代的なビルに混じって、どっしりとした古い民家が目立つ。

特に行き先は決めずに、道沿いのお店をのぞきながらぶらぶらと山のほうに進んだ。駅前は家族連れやカップルでにぎわっていたけれど、大通りを抜けてしまうと人もぐっと減り、のんびりした風景が広がった。

雲ひとつない快晴で、気温はそうとう上がっていた。ぎらぎらと照りつける太陽が、体から水分を奪っていく。それでも、わたしたちの足取りは軽かった。夏休み独特の解放感、知らない場所に来た高揚感。

「のどかだー」

歩きながら、富田くんがうーんとのびをする。パンを焼いていると暑いから、という理由で坊主頭にした富田くんは、また少し背が伸びたような気がする。

「さてと、そろそろメインイベントに入るか」

もうけっこうな時間だし、と言う。ぐるる、とわたしのおなかもタイミングよく鳴った。そういえば、とっくにお昼どきは過ぎている。

「でも、意外とパン屋さんが少ないね」

かなり歩いたにもかかわらず、駅のすぐそばにあったチェーン店以外は、まだ一軒も見かけていない。

「なんとなくパンよりごはんって感じのとこだもんなあ」

あたりを見回しながら富田くんも首をかしげる。

「隊長、どうします？」

「おなかすいたね」

「のどもかわいた」

さっきまでは平気だったのに、意識し始めると、どんどん空腹感がつのってくる。

「うどんとかでごまかす？　小麦つながりで」

　ざるそば、と筆で書かれた貼り紙を横目で見ながら富田くんが言う。ちりちりと涼しげな音を立てて、店先で風鈴が揺れている。

「うーん」

　それはそれで魅力的ではあったけれど、

「でもせっかくここまで来たんだし……」

「ストイックだなあ」

　さすが隊長、と富田くんが笑う。

「よし、もうちょっとがんばろう」

　その熱意がよかったのかもしれない。角を曲がったところにそのお店を見つけて、わたしたちは同時に歓声を上げた。

　それは、わたしたちの地元ではあまり見かけないタイプの、昔なつかしい雰囲気のお店だった。ひさしは日に焼けて少し色あせ、窓ガラスには「ベーカリー・キムラ」と白字で大きく書かれている。ひときわ大きくおなかが鳴って、わたしたちはほとんど小走りになっていた。

引き戸を開けてお店に入ると、思ったよりも中は広く、ひんやりと涼しかった。ふりかえると、おもての明るい景色がガラス越しにくっきりと浮かび上がって見える。正面のレジにお店のひとの姿はなく、奥でなにか作業しているらしい物音がかすかに聞こえる他は、しんと静かだった。

パンの種類も、たとえばアトリエのようなお店とはまったく違う。日本風、と言えばいいのだろうか。素朴な形をしたパンが、こっくりと深いこげ茶色の棚によく似合っている。てっぺんに黒ごまののった、まんまるのあんぱん。たっぷりと粉砂糖がまぶされたドーナツ。バターロール、クリームパン、メロンパン、フランクロール。わたしと富田くんがふだんはあまり手を出さない系統のパンが多い。でも、

「たまに、こういうのを無性に食べたくなることってない？」

富田くんが言い、わかる、とわたしもうなずく。

「小さい頃に食べたパンのイメージだよね」

「ごはんっていうより、おやつの感覚だな」

「もう三時だし、ちょうどいいかも」

言葉をかわしつつも、ふたりとも視線はパンに集中していた。さっそく各自トレーを持って、物色し始める。

「あ、なつかしいのがある」

見て、と富田くんが指さしたのは、動物の顔の形をしたパンだった。ずらりと並んだチョコレートチップの目が、訴えかけるようにこっちを見ている。

「かわいい！」

「なんで動物パンって、パンダとカニなんだろう」

カニってそんなにメジャーな動物だっけ、と富田くんがつぶやく。

「うさぎはないね」

「うさぎ？」

わたしの中では、動物パンと言えば断然うさぎに決まっている。主張したが、富田くんは、

「うさぎパンなんて見たことないよ」

と、首をひねっている。

「どこかで売ってたっけ？」

そう言われてみると、ずいぶん長いこと食べていない気がする。いろいろなパン屋を思い浮かべてみたけれど、売っているお店は思い出せなかった。

「いらっしゃいませ」

声をかけられて、ギンガムチェックのエプロンをつけたおばさんが後ろに立っているのに気づいた。にこにこしているのを見ると、わたしたちのやりとりを聞いていたのかもしれない。富田くんはカニパン、わたしはパンダパンをそれぞれのトレーに加えて、レジに向かう。

店を出るなり、富田くんはいそいそとパンを取り出した。濃いバターのにおいが胃を刺激する。

「お行儀悪いなあ」

言いながら、わたしもこらえきれずに袋を開けてしまう。

「だめだ、背に腹は代えられない」

「なんか使いかたが違うんじゃない?」

パンダパンはふわふわとたよりなくやわらかく、やっぱりなつかしい味がした。

「どうだった、パンツアー？」

美和ちゃんはこの手の話題が大好きだ。富田くんのことをうっかりもらしてしまってからというもの、富田くんは元気？　というのがあいさつがわりになっている。

「楽しかった」

なるべくそっけなく答えたつもりなのに、

「ゆうこちゃん、顔がにやけてますよー」

いいなあ、うらやましいなあ、としきりに言う。こういうときの美和ちゃんは、本当に生き生きする。

「富田くんの写真が見たい」

せがまれたが、入学式のときの集合写真しかなかった。豆粒のような富田くんを一《いち》瞥《べっ》して、案の定、

「これじゃあ顔がわかんない」

と、不服そうにする。

「携帯とかに入ってないの？」

「……入ってない」

一応言ったけれど、タイミングが少しずれてしまって、美和ちゃんには通用しなかった。わたしは嘘をつくのが下手だ。しぶしぶ携帯を取り出して美和ちゃんに見せると、

「うわ、思ってたよりかっこいい」

失礼なコメントをする。

「ジョンなんて言ったらかわいそうだよ、これは」

「もういいでしょ、返して」

抵抗したら、

「はい、そこの演習問題解いてみて」

わたしがため息をついて計算を始めた横で、自分は登録してある画像を順番にながめている。

「この角度のが一番好きかな、ゆうこちゃんどう思う？」

なんて言う。その口ぶりは早紀とそっくりで、とても二十五とは思えない。

「でもやっぱり実物を見たい」

今度家に連れておいでよ、と母親のようなことを言う。

「勉強も見てあげるよ？」

「絶対嫌」

きっぱり言うと、けち、とふてくされた顔をした。

「それより美和ちゃんはどうなのよ？」

攻撃は最大の防御。

そもそも、美和ちゃんは早紀のことも富田くんのことも知っているのに、わたしは美和ちゃんの人間関係をまったく知らない。そんなのって、

「不公平だよ」

わたしが口をとがらせると、美和ちゃんは涼しい顔で、

「わたくし、ひとさまに語れるほどの楽しい生活をしてませんもの」

とか言う。

「大学生活は楽しいって言ってたじゃん」

「それはゆうこちゃんの向学心を刺激するためだよ」

向学心？

らちがあかないので、わたしはついに切り札を出した。

「子供扱いしないでよ」

美和ちゃんは、子供扱いするのもされるのも嫌う。高校生は「完全な大人」であるにもかかわらず、

「自由が保障されていないからなにかとやっかいでしょう？」

というのが、美和ちゃんの持論なのだ。

思ったとおり、美和ちゃんは言葉につまった。

「ゆうこちゃん、最近ちょっとナマイキ？」

反抗期かな、とくやしまぎれに言われても、わたしはひるまない。美和ちゃんはとうとうあきらめたらしく、

「じゃあまた今度」

と約束してくれた。

「やったー」

わたしはガッツポーズをした。美和ちゃんは約束を破らない。

ところが、「また今度」はなかなかやってこなかった。もちろんわたしは早く美和ちゃんの話を聞きたかったのだけれど、八月も半ばを過ぎて、わたしたちは夏休みの宿題で手いっぱいだったのだ。

宿題をやっとかたづけてしまうと、今度は、休み明けの復習テストに向けてラストスパートをかけた。

最初に聞いたときには悪い冗談かと思ったのだけれど、この高校では、始業日に夏休みの宿題の範囲のテストをするのだ。しかも全学年いっせいに。ということは、来年も再来年も、わたしたちの二学期は最悪の始まりかたをするということになる。

「冬休みはどうなのかな？」

早紀に言うと、

「考えたくもない」

という答えが返ってきた。確かに、とわたしも思った。

ただし、努力（わたしと美和ちゃんの）の甲斐あって、一学期にはちんぷんかんぷんだった数学や理科といった科目も、得意とは言えないまでも普通には解けるようになってきた。中学のときの進度がのんびりとしていて、いきなり高校の授業のスピードについていけなかったのが、つまずいた原因だったようだ。美和ちゃんに根気よく説明してもらっていったん理解してしまえば、あとは似たような問題のくりかえしで、おもしろいくらいするすると解けた。

悲惨だった期末テストをやり直してみたら、制限時間のだいたい半分ほどでできてしまった。

「ね、簡単でしょう?」

美和ちゃんは珍しく先生らしい顔になって、満足そうに言った。おかげさまで、とわたしは答えた。

そんなハードな生活の中、それでも、美和ちゃんと顔を合わせるたびにわたしは聞いた。

「ね、今日は?」

「今日の分が時間より早めに終わったらね」

美和ちゃんは言う。きちきちに組まれたスケジュールでは、そんなことは不可能だというのはわかっているくせに。

「そんなに期待されるほどのことなんかなにもないよ？」

美和ちゃんはそう言うが、わたしには話の内容よりも、美和ちゃんに対等に話してもらえることのほうが重要だった。

「この分だと九月になっちゃうよ？」

半分あきらめながらも、わたしは毎回しつこく美和ちゃんにねだることを欠かさなかった。


しかしある日、ちょっとそれどころじゃなくなってしまうほどの大事件が起きた。いよいよ夏休みも終わるという、暑い日だった。

一ヶ月半の間には、もちろん他にも小さな事件はいっぱいあった。

早紀とつまらないことでけんかして（つまらなすぎて美和ちゃんにも言えないようなことだった）、またすぐに仲直りをした。美和ちゃんをまねして思いきってふわふわパーマをかけてみたら（ミドリさんは反対した）、たった三日で元のストレートに戻ってしまって泣き寝入りした（ミドリさんは喜んだ）。

でも、今回は迫力が違う。


きっかけは、写真だった。

わたしが赤ん坊の頃の写真だ。生まれて二、三ヶ月のときのものらしく、わたしは人間というよりお猿さんに近くて、どう見てもかわいいとは言えない。正直、わたしは少しがっかりした。

夏休みの宿題に、自分史を作るとかいうややこしいかつ恥ずかしい企画があり、そのためにひっぱりだしてきたものだ。残念ながらその写真は不採用になったので、机の上に置きっぱなしになっていた。

緊張した顔つきで白い布にくるまれた赤ちゃんを抱いている若い母親は、ミドリさんではなくて聡子だった。パステルカラーのワンピースを着て、長い髪にはゆるくウエーブがかかっている。

「これがゆうこちゃんのお母さん？」

クラスの集合写真を見て、これが先生？　と聞いたのと同じような口調で、美和ちゃんはたずねる。こういう場合、美和ちゃんはさりげなく流したりしない。この写真をボツにしたのは、学校の先生やクラスメイトたちに、美和ちゃんと同じような反応を期待できないからだ。

「うん、聡子っていうの」

聡明のソウに子供の子でサトコ、とわたしは説明する。お母さんという言葉を、わたしはうまく発音できない。

「ふうん」

美人だね、と美和ちゃんは言ったけれど、わたしにとって聡子は聡子なので、美人とかぶさいくとかいう範疇《はんちゅう》外にある。

「今日は古文？　数学？」

わたしが声をかけると、美和ちゃんはまだじっと写真を見つめている。ねえ、と肩をたたいてみたけれど、反応がない。

「美和ちゃん？」

わたしは心配になって声をかけた。

「大丈夫？」

美和ちゃんはようやく顔を上げた。その目を見て、わたしは息をのんだ。今までに見たことのない表情をしている。

「美和ちゃんじゃないわよ」

美和ちゃんはゆっくりと言った。

「美和ちゃん？」

わたしはもう一度くりかえした。

「わたしよ、聡子よ」

わたしは誇張ではなく、気が遠くなった。

もしもこれが誰かから聞いた話だったら、わたしはたぶん、冗談でしょうと言ったに違いない。

「家庭教師の先生に死んだ母親の写真を見せたら、いきなり顔つきが変わって、自分がその母親だと言い出しました」

超常現象のドキュメンタリー番組で紹介されそうだ。「本当にあった不思議な話！」とか派手なタイトルつきで。こんなことありえないよねえ、なんてテレビの前でわたしとミドリさんは笑うだろう。

でも実際に自分の身にこういうことが起こってみると、まったくもって笑いごとではなかった。美和ちゃんがふざけているわけではないのだということはすぐにわかった。美和ちゃんが、と言っていいのかどうかはさだかではないけれど。

「ひさしぶり」

ほとんどパニックになっているわたしにかまわず、美和ちゃん、ではなく、聡子は言った。

「大きくなったね」

なつかしそうに言う。手をのばして、わたしの髪をなでたりする。長いこと会っていなかった親戚みたいに。

わたしは反応に困ったが、同時に、これは本物の聡子だと確信していた。十二年ぶりの親子の対面。混乱はあったが、恐怖はなかった。

「どうして？」

思ったよりも、か細い声が出た。

「よくわからないけど、目が覚めたらゆうこが前にいて、わたしのこと見てたの」

なんだか長い夢をみていたみたいな気分、と聡子は言った。声まで美和ちゃんとは違っている。ゆうこ、というその発音だけが、美和ちゃんと同じだった。

そうだ、美和ちゃんはどうなっちゃったんだろう。わたしはにわかに不安になった。目の前のひとの中身が聡子だということは、美和ちゃんの中身はどこにいるのだろう。

「心配しないで、この子にとりついたわけじゃないから」

わたしの心を見透かしたように、聡子は言う。

「ちょっと体を借りているだけ」

なんでもないことのように続ける。それを「とりついてる」って言うんじゃないだろうか、一般的に。こんなところで一般論が通用するのかわからないけれど。

つまり聡子は、魂はあるけど肉体を持たない、

「幽霊みたいなもの？」

おずおずと言うと、

「そうねえ」

聡子はあっさりうなずいた。

「でも、たまに出てくるだけにする」

と言う。ゆうこと話はしたいけれど、

「この子の人生もあるだろうから」

と、聡子はまじめな顔で言った。


それで全部だった。

じゃあまたね、と聡子がひっこむと同時に、美和ちゃんはいつもの美和ちゃんに戻った。

「どうしたの？」

わたしが口を開けたまま美和ちゃんの顔を見ていると、幽霊に遭ったみたいな顔をして、と不審そうに言う。

「幽霊……」

日本語には便利な言い回しがあるものだ。

「顔色悪いよ、気分でも悪いんじゃない？」

聡子にとりつかれていたというか乗り移られていたというか、とにかく聡子とわたしが話していた間のことは、美和ちゃんはまったく覚えていないようだった。百パーセント、いつもの美和ちゃんだ。

「ミドリさんに薬もらってこようか？」

美和ちゃんは気を遣ってくれたが、

「なんでもない」

わたしは言って、むりやりノートに目をおとす。今回ばかりは、薬で治るとはとても思えない。

「やっぱり顔を洗ってきてもいい？」

心配そうにしている美和ちゃんにことわって、洗面所に行った。

ばしゃばしゃと勢いよく顔を洗う。少しさっぱりしたけれど、鏡の向こうのわたしは相変わらず途方に暮れた顔をしている。

「夢、夢、夢」

目を閉じて、呪文《じゅもん》のようにつぶやいた。あれはきっと夢だったんだという気持ちが、夢があんなにリアルなはずはないという気持ちと戦っている。

夢にせよ現実にせよ、聡子と話すのはこれが初めてだ。

産みの母親になんて興味がないと言いながらも、実はわたしは聡子に会ってみたかったのかもしれない、とふと思う。

深呼吸をして、わたしは自分の部屋に戻った。


三日後、二学期が始まった。

学校が忙しくなるので、美和ちゃんには土日に来てもらうことにした。

「テスト前には平日の集中講義もお願いできますか？」

すっかり頼りきっているミドリさんが言うと、いいですよ、と美和ちゃんは気軽に引き受けた。

「どうせひまですから」

土日に両方来てもらうか片方だけにするかは、学校の授業の進みぐあいに応じて、週によって決めることにした。

「土日はデートじゃないの？」

と聞くと、

「土日にデートするのは社会人か高校生だよ」

ちょっと得意そうに言う。

「わたしは平日が空いてるから平日がいいの、土日はどこに行っても混んでるでしょう？」

ひとごみ苦手だし、と言う。自分のことなのか村上さんのことなのか、おそらく両方だろう。村上さん、というのが美和ちゃんの恋人の名前だ。

夏休み明けの数学の復習テストで、わたしは九十八点を取った。クラスで三番だった。ミドリさんは感激し、ミッシェルの生チョコを二箱買ってきてくれた。わたしのごほうび用に一箱、美和ちゃんへのお礼用に一箱。美和ちゃんもさすがに機嫌がよく、とうとう「謎の私生活」について語ってくれたのだ。村上さんは主要登場人物だ。

「平日に街中をぶらぶらできるっていいね」

うらやましくなってそう言うと、

「あと三年のがまんよ」

余裕たっぷりに言う。でも、わたしが三年後に平日の自由を手に入れたとき、

「美和ちゃんもう二十八歳だよ？」

さすがに就職してるでしょ、と言い返すと、期待どおり、美和ちゃんの顔がひきつった。

諸行無常、おごれるものは久しからず。

わたしは余裕たっぷりに微笑んでみせた。


聡子はあれからもよく出てくる。

短いときは一分、長いときで三分から五分弱くらい、学校のことや友達のことを聞きたがった。母親らしく娘を心配しているというよりは、わたしがなにをやっているかただ単純に気になる、という雰囲気だった。美和ちゃんと同じくお気に入りのテーマは富田くんで、美和ちゃんと違うのはやたらと口出ししてくるところだ。

「もっと積極的にいかないと」

こういう面に関しては、美和ちゃんより早紀寄りと見た。

「ぐずぐずして、他の子にとられちゃったらどうするのよ」

「どうするのよって言われても……」

「とにかく攻めなきゃ!」

「攻め」が基本だったという、自分の昔の話をすることもある。わたしの父親と出会ったときのこと、そして結婚してからのこと。

「ひとめぼれだったの」

あのひとはもてるから、必死だったわ、と聡子は大真面目に言う。あんなおもしろくない父親相手になぜ、というところは納得がいかなかったが、聡子の話を聞くのは楽しかった。少しずつしか聞けないものの、聡子の存在がだんだん現実的になっていく。これを、現実的と呼んでいいのかどうかは別として。

どういうメカニズムなのか、聡子になっているときのことをなにも覚えていない美和ちゃんと違って、聡子はわたしと美和ちゃんが話したこともちゃんと知っていた。それはこないだ聞いた、と言ったりもした。

わたしは、聡子と話すのが夢なのか現実なのかということには特にこだわらないことにした。そう決めてしまうと気は楽になったけれど、わたしはこのことを誰にも話さなかった。ミドリさんにはもちろん、富田くんにも早紀にも。わたしがまぼろしを見ているのだととらえるにしても、本当のことを言っていると信じるにしても、彼らは心を痛めるだろう。

美和ちゃんは当の本人のわけだし、話してもいいかなとも思ったが、ショックを受けるだろうと思い直してやめておくことにした。美和ちゃんはわたしの言うことを信じるという予感があった。わたしなら、自分が幽霊にとりつかれていると知ったら、どうしていいかわからない。

「でも、どうして美和ちゃんなの？」

何回目かに聡子が現れたとき、ずっと気になっていたことを聞いてみた。

そんなこと知らない、と聡子はそっけない。

「わたしが死んだときと同じ年だからかも」

そうだったのか。聡子の年齢なんて考えたこともなかった。

「それにこの子、美和ちゃん？　心のキャパシティに余裕があるんだと思うわ。なんでなのかは知らないけど」

わたしはノートのすみに「キャパシティ」と書きとめる。あとで美和ちゃんに意味を聞いてみよう。

それにしても、聡子は美和ちゃんと同じ年齢のときに、この世を離れなければならなかったのだ。そう思うと、聡子がかわいそうに思えた。

美和ちゃんは三年後に二十八歳と言われただけであわてているけれど、聡子はこれからも永遠に二十五歳のままなのだ。


現在二十五歳の美和ちゃんには、二十二歳のときから三年間つきあってきた恋人がいる。

「名前は？」

わたしが生チョコをほおばりながら聞くと、村上、と答えた。

「違うよ、下の名前」

えーと、と美和ちゃんは口ごもる。

「こんなところで照れなくていいじゃん」

わたしが茶化すと、

「違うよ、いつもムラカミって呼んでるからとっさに出てこないの」

「なんか恋人っぽくないな」

「しょうがないでしょ、事実なんだから」

美和ちゃんはわたしをにらむ。

「じゃ、いいや村上さんで」

わたしはあわてて譲歩する。

「次はなれそめ」

なれそめ？　美和ちゃんは不愉快そうに眉間《みけん》にしわを寄せる。

万事がこんな調子なので、基本的なことを聞き出すのにもかなり時間がかかった。

いつもなら勉強を教えてもらうのは二時間で、その後おやつを食べながら雑談をするのだけれど、この日はいつまでたってもわたしたちが出てこないので、ミドリさんが心配してのぞきに来た。

「今、美和ちゃんの彼氏の話聞いてるの」

「そんなプライベートなこと、うかがったら失礼じゃないの」

口ではそう言いつつもミドリさんは明らかに興味津々で、

「いいんだってば」

わたしは必死で追いはらった。

「人生勉強だもんね？」

ドアを閉めてふりかえると、美和ちゃんは仏頂面《ぶっちょうづら》をしていた。いつもにこにこしている美和ちゃんからは想像もつかない。はっきり言ってぶさいくだけれど、わたしにとっては新鮮で、逆にかわいらしくさえ見えた。

その日、一時間ほどかけて、わたしは美和ちゃんの話（主に村上さんについて）を聞いた。

村上さんは、美和ちゃんの大学のゼミの先輩らしい。ということは、要するに、

「物理学者？」

わたしが聞くと、美和ちゃんは即座に否定した。

「違う、ただの雇われ研究員」

でも美和ちゃんに言わせると、「教授の椅子を狙っている」なかなかの野心家らしい。学問の世界というのはどうも高尚なことだけではないらしく、

「政治よ政治、権力とか派閥とか争いごとだらけ」

美和ちゃんはうんざりしたように言い、わたしはドラマでやっていた大学病院の権力闘争を思い出す。

美和ちゃん自身としては、物理そのものはおもしろいけれど、そんなどろどろした場所で生きていこうなんてもちろん思っていない。

「だから、あの熱意がいまいちわからない」

と、冷めたことを言う。

でも、美和ちゃんは自分で言っているほど勉強が嫌いなわけではない、とわたしはにらんでいる。美和ちゃんが嫌いなのは、勉強をしていると他人から思われることであって、勉強そのものではない。

そう、美和ちゃんはけっこう難しい人なのだ。家庭教師の生徒としてつきあう分には楽しいけれど、恋人だったら大変だろうなと思うことも多い。その点でも、わたしは村上氏に興味があるのだった。

話を聞く限りでは、村上さんはそうとう美和ちゃんのことを好きみたいだった。好き、というより、愛している、と言えるかもしれないくらい。

たとえば、美和ちゃんの友達づきあいのこと。

前から薄々はそんな気がしていたのだけれど、美和ちゃんには男友達が多いらしい。でも、村上さんは美和ちゃんの交友関係にまったく口を挟まないという。

「男の子とふたりで飲みに行こうと映画に行こうと気にしない」

と思う、と美和ちゃんはつけくわえた。実際はわたしもあまり細かく言わないけどね。でも、文句を言ったりしないことは確かだよ。

「だって友達だもん。別にやましいことなんかなにもない」

と、あっけらかんとしている。

そうは言ってもなあ、とわたしは思う。男友達は当然のことながら男の子なのだから、恋愛に発展する可能性は必ずある。美和ちゃんにその気はなくても、向こうが同じとは限らない。

「わたしなら心配するな」

実際にわたしは、富田くんが女の子としゃべっているだけで、ちょっと気になってしまう。気になってしまっている気配は意地でも見せていないつもりなのに、

「気にしすぎ」

と、早紀にはいつも笑われる。

「もっと自信持ちなよ」

富田が優子のこととパンのことと、後はサッカーくらいにしか興味ないのは一目瞭然、と早紀は言い切る。

「それに、友達は少ないより多いほうがいいでしょ？」

わたしも理屈ではわかっている。そんなことで不安になっていてもしかたがない。誰に対しても明るくて元気な、クラスの人気者の富田くんのことを、わたしは好きになったのだ。

「でも、やっぱり気になる……」

「乙女だねえ」

うらやましいわ、と早紀はあきれた顔をした。

早紀はわたしと富田くんが「正式に」つきあっていると思い込んでいるみたいだけ

れど、わたしたちの間にある空気はそういう甘やかなものではない。街で見かける高校生のカップルみたいに、手をつないだり見つめあったりすることもない。でも逆に、わたしにはその距離がちょうどよかった。わたしは早紀や美和ちゃんとは違って、男の子という生きものの存在自体にまだ慣れていない。

もっとも美和ちゃん本人に言わせると、男友達の多さにはちゃんと理由がある。

「物理学科って共学じゃなくて男子校だよ」

入学したとき、五十人のクラスで女子はふたりきりだったらしい。それが事実なら、ぜひ今度、早紀にすすめてあげなければいけない。しかし早紀ならともかく、美和ちゃんにとってそれはうれしいことではなかった。

「その状況で、女友達なんてできるわけないでしょう？　しかもわたし、高校まで女子校に通ってたんだよ？」

世界が変わっちゃったわけ、と憂鬱《ゆううつ》そうに美和ちゃんは言う。しかも百八十度。

「……確かに」

わたしは女子校から共学でもあんなにきつかったのだから、男子校となると、慣れるのはそうとう大変だろうというのは想像がつく。なじもうと思ったら、もちろん友達を作らなければいけない。

その結果、美和ちゃんは男友達に囲まれることになった。

「高校時代の女友達からはうらやましがられたけど、実際はそんなにいいものじゃないのよ」

男の子って汗くさいし汚いし、と美和ちゃんは冗談めかして言う。

最初の頃こそちやほやしてもらえたけれど（きっと大人気だったに違いないとわたしは思う）、徐々に美和ちゃんは「女の子扱いされなくなった」らしい。なにしろ性格はマイペースだし、みかけによらず、なんでもひとりでできるタフなところがある。中途半端な男の子では、手に負えないだろう。

「やっぱり恋愛するなら共学がいいよ、男女半々っていうのが自然だよ」

女子校も男子校もそれなりに楽しいけれど、自然の摂理に逆らっている、と美和ちゃんは断言した。

男友達のことに限らず、なにごとに関しても、村上さんは美和ちゃんに干渉しない主義らしい。

「なんでも美和の好きなようにしたらいいよって言うの」

束縛したくないって。

「いいじゃない」

わたしが軽く言うと、

「でもわたし、そういうこと言われると、本当に自由にしちゃうの」

のろけているというよりは、困った表情で美和ちゃんは言った。

「ふうん」

わたしにはそれしか言えなかった。

「別に遊び歩くとか、そういうんじゃないの」

弁解するように言う。美和ちゃんらしくもなく、歯切れが悪い。

「ただ、突然、いろんなことから離れたくなっちゃうの」

どうしてもがまんできないのだと美和ちゃんは言った。

わたしにとっては初耳だったけれど、美和ちゃんは、誰にも行き先を告げずにふらりとひとり旅に出てしまったりするらしい。携帯の充電を怠って、何日も音信不通になってしまったりするらしい。

「そういう物理的なことも問題だし」

美和ちゃんは慎重に言葉を選びながら言う。

「たまにあのひとのことを忘れてしまいそうになる」

わたしは絶句した。

「それってひどいことじゃない？」

美和ちゃんはわたしのあいづちを期待しているわけでもないらしく、ひとりごとのように言う。高校生は不自由だと美和ちゃんは言うけれど、自由を手に入れても物事が簡単になるわけではないようだった。

「……ところで、村上さんってかっこいいの」

沈黙を破ってわたしが聞くと、美和ちゃんは、ひみつ、と言った。


聡子と美和ちゃんって、やっぱり似てるかも。そう思ったのは、聡子の受験の話を聞いたときだった。

「わたしも、中学も高校も女子校だったの、ゆうこと同じところ」

由緒あるわたしたちの母校は、建物はヨーロッパ風の建築で、すべての校舎にエレベーターがついている。広い敷地にはチャペルと噴水と芝生があって、四季折々の花が咲き乱れ、たまに雑誌の撮影にも使われたりする美しいところだ。温水プールに音楽スタジオ、その上、お茶室まである。そこで六年間を過ごした聡子は、大学受験の日、強烈なカルチャーショックを受けることになった。

第一志望だった国立大学の校舎は、歴史があるといえば聞こえはいいけれど、老朽化が進んでいるというほうがどちらかというとぴったりきた。窓はくもり、壁には落書きや貼り紙のあとがあり、

「とにかく汚くて薄暗いの！」

そのときの落胆がよみがえったのか、聡子は力強く憤慨してみせた。一番つらかったのは、

「女子トイレが校舎のはじっこにしかないのよ？」

トイレは常にぴかぴか、わずかな教職員用以外はすべて女子トイレ、という環境で

少女時代を謳歌した聡子にとって、窓から雪のふりこんでくるトイレに入るのは拷問のようなものだったという。

「受験なんてやめて帰ろうかと思ったくらい」

聡子と美和ちゃんがもし同じクラスで出会ったら、お互い貴重な女友達になれたのに。


とはいえ、その大学は聡子にとって思い出深い場所になった。

「あの大学に入ったからこそ、ゆうこのパパに出会えたのよね」

聡子はそう言って、うれしそうに頬をゆるめる。聡子は自分の夫（というか元夫？）、つまりわたしの父親の話をするときは、決まってとろとろの顔になる。美和ちゃんもよく笑うけれど、その笑顔とはまた違う、聡子のときにしか見せない表情だ。

「ゆうこもがんばりなさいよ」

ちゃんと勉強して、希望の大学に入って、

「富田くんもいいけど、大学でもっといいひとが現れるかもよ？」

失礼なことを言う。

「そういうの、不純な動機って言うんじゃないの？」

どう考えても、母親の発言とは思えない。あきれて言い返すと、

「わたし、あのひとに会えただけでも、合格した甲斐があったわ」

聡子は言い切った。まったく、手に負えない。

「あんなのと出会ったってうれしくないよ」

わたしが言うと、あんなのじゃないでしょ、と口をとがらせる。

「ゆうこはまだ子供だし、しかも実の娘だから、あのひとの魅力がわからないのよ」

「魅力、ねえ……」

聡子が恋に落ちたきっかけは、お弁当だったという。ふたりが所属していたテニスサークルでは、日曜日の練習のとき、新入生の女の子が人数分のお弁当を手分けして作っていくことになっていた。

「料理なんてしたことないから、すごく緊張して」

試行錯誤の末にできあがった聡子のお弁当は、他の子のものに比べて、なぜか減るスピードが遅かった。

「ちゃんと味見もして、けっこういい線いってると思ってたのに」

それを、うまいうまいと言いながらほとんどひとりで食べてくれたのが、父親だったらしい。

「……それってただの味音痴じゃないの？」

わたしが思ったことをそのまま口に出すと、

「なんてこと言うのよ」

聡子の声が少し大きくなる。食の趣味が合うっていうのは、大事なことなのよ。

「ゆうこだって、富田くんと仲良くなったのはパンがきっかけじゃない」

頼むから、一緒にしないでほしい。

細かいことを聞くには時間が足りないということもあるけれど、わたしは聡子がこれほどまでに父親のことを好きになった理由（そして今でも好きでいる理由）を、いまだに理解できていない。

「あのひと、本当においしそうにものを食べるでしょう？」

見ているだけで幸せになる、と言われても、わたしは父親と一緒に食事をしたことがあまりないので、なんとも言えない。

わたしから見た父親は、娘のことや家のことには興味がなく、ひたすら仕事に生きている。

「忙しいからしかたないのよ」

自分が悪いわけではないのに、ミドリさんはいつも申し訳なさそうにする。

「ああ見えても、優子ちゃんのこと気にしてるのよ？」

誕生日やクリスマスのプレゼントも欠かしたことがないでしょう、と言う。でも、それはすべてミドリさんが選んだものだ。

ミドリさんには悪いけれど、とわたしは思う。父親の、そういうところが嫌なのだ。なんていうか、その、中途半端なところが。だから、

「大切なものがいっぱいあるひとなの」

愛情にあふれてるんだから、と聡子が自信を持って言い切っても、

「それのどこがいいのか、全然わからないんですけど」

この間美和ちゃんに、「エネルギー保存の法則」を習った。エネルギーの総量は一定なので、問題はそれをどう配分していくかになる。大切なものがいっぱいあるとい

うことは、言い換えると、それだけ愛情が分散されてしまうということではないだろうか。

「並列つなぎの電球だって暗くなるもん」

なによそれ、と聡子は相手にしない。聡子の中では、「愛情資源無限大の法則」とやらが成り立っているようだ。

「わたしが選んだひとなのよ？」

しかも聡子は、自分の趣味は絶対的だと思っているらしい。

「つまらないひとのわけないじゃない」

それに、ミドリの選んだひとでもあるのよ、と言う。そういえば美和ちゃんも、レベルの高い男の子にはレベルの高い女の子が寄ってくるものだ、と言っていた。だから女を磨かなきゃだめよ、ゆうこちゃん。

「ミドリって、なかなかいいひとでしょ」

ミドリさんが父の愛人だったというのも、聡子から聞いた。父と聡子が結婚する前からのつきあいで、その後も、ずっと関係は続いていたらしい。

にもかかわらず、聡子のミドリさんへの評価は、意外と高い。そんなに父親のこと

を好きだったのなら、ミドリさんに対してもなにかしら思うところがあるのではないかと思ったが、

「もうそんなことどうでもよくなっちゃった」

と、案外さばさばしている。

「なんといっても、センスが合うわけだしね」

「……そういうものなの？」

それってつまり、たとえば早紀が富田くんのことを気に入っちゃうってことですよね？　そんな限りなくゼロに近い可能性を想像しただけでも、わたしの頭はぐらぐらする。やっぱり聡子ははかりしれない。わたしがそんなことを思っていると、それが通じたのか、

「まあ、もう十年以上も経《た》っているわけだから」

聡子はなぜか、言い訳するようにそう言った。

「とにかくゆうこも、もっとちゃんといいところを見てあげてよね」

父親の良さがわからないのが、まるでわたしの落ち度のように言われるのは不本意だ。でも、

「はじめはわたしの片想いだったけど、そのうち立場が逆転して、あのひとがわたしのことを追いかけるようになったの」

「けんかしてもう顔も見たくないって言ったら、次の日にポストに便箋十枚の手紙が入ってた」

「子どもなんてほしくないって言ってたのに、ゆうこが生まれたら、赤ちゃん言葉で延々と話しかけてたわ」

　聡子から聞いたいくつものエピソードが果たして本当のことなのか、確かめてみたい気もする。


「ゆうこちゃん、遊園地に行かない？」

　美和ちゃんが言い出した。

「富田くんも一緒に」

噂の村上さんの発案だという。

「ゆうこちゃんにぜひ会ってみたいって言うの」

「行く！」

わたしはすぐにとびついた。

「じゃあ、メール送っちゃおう」

わたしが自分でやると言っているのにかまわず、美和ちゃんはわたしの携帯を奪い取り、その場で富田くんにメールを打った。後から見ると、タイトルは、「ダブルデートのお誘い」になっていた。

「だって、デートが二組でしょ」

恥ずかしいよ、とぼやいても、もう後の祭りだった。

四人の予定を合わせて、一週間後、連休の最終日に行くことになった。

「混んでるかな？」

ひとごみは嫌いだと言っていたのを思い出してわたしが言うと、美和ちゃんは思いのほか乗り気だった。

「混んでない遊園地なんてさびしいでしょ」

とまで言う。それもそうかもしれない。

「遊園地も楽しみだし村上さんも楽しみだしデートも楽しみ」

わたしがはしゃぐと、

「なんでわたしだけ入ってないの？」

と、美和ちゃんはすねてみせた。


当日はよく晴れた。

わたしは準備に三時間かかった。学校に行くときと同じ時間に起きて、シャワーを浴びて髪をブローした。着ていく服をさんざん悩み、いつか美和ちゃんに見せびらかしたワンピースにした。下にスリムのジーンズを合わせ（実はここでもちょっと迷った。でも富田くんは「スカートとズボンの重ね着は嫌だ」なんて言うような保守的な男の子ではないし、美和ちゃんとつきあっているくらいだから村上さんも大丈夫だろうと思う）、歩きやすいようにぺたんこのサンダルにする。

十一時に車で迎えに来ると美和ちゃんが言ったので、富田くんにもその時間に合わせてうちまで来てもらうことにした。ミドリさんに会わせるのはあまり気が進まなかったけれど、この際しかたがない。

今日の富田くんはぼろぼろのジーンズに黒いTシャツで、制服のときよりも数倍かっこいい。ミドリさんはうちにあがってもらいたがったけれど、時間がないからと言って三人で門の前で待った。かわいた風には少しだけ秋の気配がまじっているけれど、ひなたにいるとまだまだ暑い。

時間ぴったりに、車がやってきた。かっこいい赤い車だった。

「アルファロメオ！」

富田くんが興奮気味につぶやく。きれいな赤、とミドリさんが言う。美和ちゃんも村上さんもサングラスをかけている。

ドアが開いて、助手席から美和ちゃんが降りてきた。わたしが着ているのとよく似た、花柄のワンピースを着ている。

「姉妹みたい」

ミドリさんが笑うと、美和ちゃんははにかんだように会釈した。

続いて、村上さんも降りてくる。グレーのTシャツにチノパンという格好の村上さんは、思っていたよりもずっと若く見えた。すごい美男というわけではないけれど、背が高くて体全体のバランスがいい。顔つきはおだやかで、ただ、目つきが鋭かった。ぎゅっと強い視線でひとを見る。

「はじめまして」

村上さんとは初対面だし、美和ちゃんと富田くんも初めて会うので、お互いに自己紹介する。村上さんは人見知りしないたちのようで、ミドリさんとも感じよくやりとりしていた。

美和ちゃんはさっきと同じように助手席に座り、わたしと富田くんは後部座席に乗せてもらった。富田くんはもうこの車に夢中で、車をスタートさせる村上さんを熱心に観察している。

さっきまでおおげさに恐縮し、わたしに細かい注意を与えていたミドリさんが、にこにこしながら手をふっている。ぼんやりとその姿をながめている美和ちゃんは、なんとなく、聡子のように見えた。

村上さんの運転は上手だった。すいすいと車線変更しながら、

「優子ちゃんと富田くんの話はいつも聞かせてもらってます」

バックミラー越しにこちらを見ながら、楽しそうに言った。深々としたいい声。ルックスは富田くんも負けていないけれど、声はまだまだだな、とちらりと思う。年をとると、いい声になっていくのかな。

わたしがそんなことを考えているとも知らずに、富田くんはあわてた表情でわたしを見やる。富田くんの話？　美和ちゃんが村上さんにそこまで話しているというのは、なんとなく意外だった。

「わたしもいつも村上さんの話を聞かせてもらってます」

すまして逆襲すると、

「ちょっとふたりとも、いつもじゃないでしょ」

美和ちゃんが苦笑する。

「話を大きくしないの」

高速を三十分くらい走り、遊園地にはお昼前に着いた。入り口のところで半日券を買う。高校生以上は大人料金だった。

「僕が誘ったんだから僕が払います」

財布を開けようとするわたしと富田くんを手で制して、村上さんは言った。美和ち

ゃんも、

「わたしはゆうこちゃんのおかげで稼がせてもらってるから」

と、よくわからない理屈を持ち出した。結局、村上さんが四人分出した。

四人で一緒にいろんな乗り物に乗った。ひとは多いけれど、乗り物の数も多いので、たいていは十分ほど並べば乗れる。

途中でおなかがすいてきたので、ハンバーガーショップに入った。チーズバーガーふたつとてりやきバーガーとチキンバーガー。あとはそれぞれの飲みものとポテトのLをふたつとって、四人で分けた（富田くんがほとんど食べた）。ここの代金は美和ちゃんが出した。

「いっぱい種類があるんだね」

カラフルなメニューを見ながら、美和ちゃんは感心したように言った。

わたしと富田くんはともかく、村上さんと美和ちゃんにはハンバーガーは全然似合っていなかったけれど、ここは遊園地なのだからまあしかたない。それでも、おいしいね、とふたりともが言うのがおかしかった。

似合わないといえば、遊園地という場所自体に、このふたりはあまり似合っていない。年齢のせいではないと思う。美和ちゃんは童顔だし、村上さんも二十代前半といってもおかしくない。第一、もっと年上に見えるカップルだっていっぱい来ている。でも、なにかが決定的に違う。聞いたわけではないけれど、ふたりが一緒に遊園地にくるのは初めてではないかという気がした。

ジェットコースターには二回乗った。

一回は富田くんと、そしてもう一回は村上さんと。

「かえっこしよう」

二度目に列に並んでいるときに美和ちゃんがいたずらっぽく言って、わたしの手をひっぱって村上さんの横に立たせ、自分はするりと富田くんの隣に移った。

「こんなおばさんと一緒じゃ楽しくない？」

美和ちゃんが言うと、富田くんはちょっと赤くなった。

「こんなおじさんと一緒じゃ楽しくないよね」

村上さんに言われ、わたしもちょっと赤くなった。

大人のふたりはそれを見て、顔を見合わせてふふふと笑った。あまり大人っぽくない笑いかただった。

この遊園地の目玉だという絶叫マシンを、富田くんはとても気に入った。地上に降りるなり、もう一回乗りたいと言う。美和ちゃんも、いいね、とすぐに賛成した。わたしは一度目の挑戦で生命の危険を感じたので、下で待っていることにした。じゃあ僕も、と村上さんも残った。

「すいません」

わたしが謝ると、

「高いところは苦手なんだ」

なんでもないことのように言う。それでは、この遊園地にあるほとんどの乗り物がだめだということになる。

「今、じゃあなんで遊園地に、って思ったでしょう？」

はい、と素直に答えると、

「やっぱり高校生のデートは遊園地かなと思って」

と、言う。

「どうしても、優子ちゃんに会ってみたくて。それに、優子ちゃんと一緒にいるときの美和を見てみたかった」

美和、というときの村上さんの発音は優しい。

「美和はあんまり自分の話をしないほうだけれど、優子ちゃんのことだけはよく話すんだ」

話しながら、手をふっている美和ちゃんたちに手をふり返す。奇妙な形をした椅子に並んで座り、安全バーとシートベルトでがんじがらめになっているふたりは、それでも幸福そうに見える。カップルのように見えないこともない。向こうから見たら、わたしと村上さんもそう見えるのだろうか。ベルが鳴り、美和ちゃんたちはゆっくりと上に上っていく。

「美和ちゃんとつきあうのって大変じゃないですか？」

そんなことを聞くのは失礼だとは思ったけれど、がまんできなかった。村上さんが、少し驚いたような表情でこちらに向き直る。

「他人には大変に見えるだろうけれど」

村上さんは、はっきりと言った。

「僕にとっては全然大変じゃない」

もちろん、そんなことはわたしにもわかっていた。わかりきったことだった。

「ごめんなさい」

つまらないことを聞いてしまって、としょんぼりしたわたしに、

「謝らなくていいよ」

村上さんはおだやかに言う。

「むしろお礼を言いたいくらいだよ」

あんなに楽しそうな美和を見たのはひさしぶりだ、と村上さんは目を細める。その横顔は、さっきまでよりも少しだけ年をとって見える。

いつのまにか絶叫マシンは無事に着地していて、富田くんと美和ちゃんが向こうからかけて来た。

「おまたせー」

「あーおもしろかった」

ふたりともすっきりした表情をしている。アドレナリンが大量に放出されたのだろう。近くで見ると、この組み合わせはやはりカップルというよりは姉弟だった。そんなことを思っていると、逆に、

「なんか、兄妹みたい」

富田くんがわたしと村上さんに言った。

「あ、それとも父娘?」

美和ちゃんがおどけて言う。

「いや、さすがにそれはないでしょう」

富田くんがあくまでまじめにつっこんで、みんなふきだした。

「ゆうこちゃん、次はなにに乗る?」

「そうだなあ」

わたしが考えていると、観覧車はどう、と美和ちゃんは言った。

「あれならこわくないでしょ?」

村上さんの顔が一瞬こわばり、でもすぐにもとの表情に戻るのを、わたしは見逃さなかった。

「その前にソフトクリーム食べたい」

わたしが言うと、え、と富田くんが変な声を出す。

「おれソフトクリームってなんか苦手、あの食感が」

「いいじゃん、食べよう？」

食べてるうちに好きになるかも、とわたしは言い、

「強引ねえ」

美和ちゃんがあきれたように言う。

「富田くんも苦労するね」

わたしはこっそり村上さんを見る。村上さんはわたしに向かってちょっとだけ眉を持ち上げてみせ、

「ソフトクリーム以外にもアイスやかき氷があると思うよ」

と、言った。

わたしたちはいそいそと売店に向かった。

夕方、わたしたちはぐったりと疲れて帰途についた。

高速道路はおそろしく渋滞していて、じりじりとしか進まない。毒々しいほど赤い夕日が、延々と続く車の列を照らしている。

「優子ちゃんたちは寝ていていいよ」

ハンドルをにぎりながら、村上さんはそう言ってくれた。

「着いたら起こしてあげる」

美和ちゃんも言う。居眠り運転にならないようにわたしがちゃんと見張ってるから、心配しないで。

大丈夫です、と最初はがんばっていたものの、富田くんはすでにかすかに寝息をたてている。その隣で、わたしもうとうとしていた。目をつぶっていたので、前の座席からは眠っているように見えたのだろう。

「寝ちゃったかな」

ひそひそと村上さんが言うのが聞こえた。美和ちゃんがふりかえった気配があったけれど、わたしはそのままじっとしていた。

「そうみたい」

美和ちゃんも声をひそめて言う。

「このふたり、お似合いだよね」

「うん」

小さな声で会話は続く。

「ねえ、村上」

「うん？」

「楽しかったね」

はっとした。

美和ちゃんが村上さんの名前を呼ぶのを初めて聞いた。一日一緒にいたはずなのに、思い返してみても記憶にない。どうしてだろうと考えて、思い当たった。

必要がないのだ。

村上さんは、どんなときでも美和ちゃんに意識を向けていた。わたしや富田くんと話していても、違う方向を見ていても。美和ちゃんがなにか言いたいとき、村上さんにはすでに聞く準備ができている。わざわざ注意をひくために呼びかける必要はない。

「今度はふたりで来る？」

村上さんが言う。

美和ちゃんの返事はない。でももしかしたら、声には出さずにうなずいてみせたのかもしれない。


「なんか今日、元気ないね？」

わたしのノートを点検しながら、美和ちゃんは言った。

「遊園地で疲れちゃった？」

美和ちゃんに言われるまでもなく、自分がひどい顔をしているのは知っていた。ちっともパワーがわいてこない、その原因ははっきりしている。富田くんと、もう三日も口をきいていない。


遊園地に行った次の日の放課後も、わたしたちはいつものようにアトリエに寄り道した。すっかりおなじみになった近所の公園のベンチには、やわらかい陽ざしがふりそそいでいる。並んでパンをかじっていると、すずめが何羽か寄ってきて、せわしなくパンくずをつつき始めた。

「遊園地、楽しかったね」

わたしが言うと、うんうん、と富田くんもうなずいた。

「美和さんも村上さんも、いい感じだったし」

パンが口いっぱいに入っているので、みあはんもむらはみはんも、と聞こえる。口をもぐもぐさせる足元のすずめと富田くんの横顔を見比べて、わたしは思わず笑ってしまった。

「いい感じだよね、ほんと」

わたしも心から同意する。美和ちゃんと村上さんの組み合わせは、絶妙だと思う。わたしたちもあのふたりみたいになれたらいいね、と言いたかったけれど、恥ずかしくなって、わざと違うことを言った。

「……やっぱりいいね、大学生って」

「あの車！　バイトでお金ためて買ったんだって。いいよなあ……」

どうやら富田くんがうらやましかったのは、そこらしい。わたしは少しがっかりしたような、でも逆に安心したような、ちょっと複雑な気持ちになる。

わたしたちが大学生になったら、どんなふうだろう。一緒に地元の大学に進んで、今みたいにちょくちょくパンを食べに行けたらいいのに。あ、でも、もし東京に出るとしたら、有名なお店を食べ歩けるかも。美和ちゃんがいつも自慢しているように、大学生は平日の昼間に出歩けるから、お昼に焼きたてのパンを買える。そうだ、自由な時間が増えるだろうから、パン屋さんでバイトもしたい。わたしたちももっと長く一緒にいたら、美和ちゃんと村上さんのようにすてきなカップルになれるだろうか……つきあってもいないのに、最近わたしの想像力がよく暴走するのは、美和ちゃんや聡子にけしかけられているせいかもしれない。

つらつらと考えながら隣の富田くんをうかがうと、早くもふたつめのパンにとりかかっている。

「富田くんは、大学に入ったらなにがしたい？」

何気なく聞いたのは、自然ななりゆきだったと思う。文系なのか理系なのか、志望の大学はもう決まっているのか、そんな内容を予想していたから、返ってきた答えを聞いてびっくりした。

「あ、おれ、大学は行かないかも」

富田くんは、あっさりとそう言った。

「フランスにパンの修業に行きたいんだ」

別にあの店を継ぎたいとかっていうんじゃないけど、やっぱり本場を見てみたいっていうのがあるんだよなあ。

「親父の知り合いもけっこういるみたいだし」

そうだよね、とわたしはぼんやりとあいづちをうつ。富田くんの想像する未来に、わたしはいない。ついさっきまでの楽しい想像は一瞬でふきとび、ばかみたい、とわたしは心の中でつぶやいた。ひとりで舞い上がっちゃって、ばかみたい。

「どこがいいのかな、やっぱりパリかな？」

富田くんが悪いわけじゃない。でも、目をきらきらさせながら将来の計画を語る富田くんを、わたしは少し恨んだ。そんなにも期待に満ちた、楽しそうな顔をすることはないのに。

「行きたい大学とかもう決めてるの？」

まるで他人ごとのような聞きかただ。まあ、他人ですけど。最初のショックが過ぎると、わたしは投げやりな気持ちになってきた。

「ううん、でもとりあえずどこかに入って、いっぱい遊ぶ」

「ふうん」

一応話を続けながらも、富田くんはパンの袋をがさごそと探り、

「お、新作だ」

なんて言う。

「ちょっと味見する？」

すでにパンのほうにすっかり気をとられている様子なのが、しゃくにさわった。

「富田くんも大学くらいは出といたほうがいいんじゃないの？」

自分の声がとがっているのがわかった。

「うーん、でもやりたいこともないのに適当に大学入ってもなあ」

富田くんは、のんびりと首をかしげている。

「あんまり夢みがちなのも大変だよ？」

われながら、意地悪な言いかたになった。本当はこんなことを言いたいんじゃないのに、言葉が勝手にこぼれてしまう。富田くんが、びっくりしたようにこっちを見た。

「どうしたの？」

別に、と返したけれど、もう遅かった。空気が変にゆがんでしまっている。富田くんは不意に立ち上がり、少し離れたゴミ箱に勢いよくアトリエの紙袋を投げ捨てた。ぱこん、と乾いた音がする。

「別におれ、夢をみてるつもりじゃないんだけどなー」

「そういう意味で言ったんじゃないよ」

否定したものの、あまり心がこもっているようには響かなかった。

こういうとき、一体どうやって場をフォローしたらいいのだろう。たとえば早紀なら、さびしいよー行かないで、と冗談めかして言うだろう。たとえば美和ちゃんなら、わたしも一緒に行きたい、と真顔で身を乗り出すかもしれない。でもわたしは、なにも気のきいたことを言えずに、ただ黙って自分の靴を見つめることしかできなかった。

耳が熱くなっている。

「でもさ、なんの目的もなく大学に行っても、お金と時間のむだだと思う」

いつになく、富田くんもむきになっているみたいだった。

「おれは興味ないな、お気楽大学生なんて」

ここで、まだまだ先の話だよね、とか笑って、そのまま会話を終わらせてしまったほうがよかったのだろう。でも、暗に美和ちゃんたちをけなされた気がして、わたしはかちんときた。

「大学生がみんなそうだってわけじゃないよ」

思いのほか、強い口調になった。

「まあ、そうだけど」

富田くんが皮肉っぽく肩をすくめる。こんなに感じの悪い富田くんを見るのは初めてで、わたしもつられて攻撃的になった。

「だいたい、早く社会に出るのがそんなにえらいかなあ」

決定打をうってしまった、手ごたえがあった。

「えらいなんて誰も言ってないじゃん」

富田くんが思いきり不機嫌な声を出す。

「……帰ろうか」

いつのまにか日が暮れて、公園には街灯がともっていた。すずめも姿を消している。薄闇の中で、富田くんの表情はもうよく見えなかった。

　わたしが事情を話し終えると、美和ちゃんはため息をついた。

「早く仲直りしたほうがいいよ」

「それができたら苦労はしないもん」

　思わず口をとがらせてしまって、ずいぶん子どもっぽい反応だな、と苦笑する。教室で毎日顔を合わせてはいるのだけれど、話すきっかけがつかめないまま、ずるずると冷戦状態は続いている。

「お気楽大学生としては、なんか責任感じちゃうなあ」

　美和ちゃんがすまなそうに言うので、わたしは首をふった。

「美和ちゃんのせいじゃないよ」

　これは、わたしの自意識過剰が引き起こした事態なのだ。でも、富田くんだって大人気《おとなげ》ないと思う。あんなに強い言いかたをすることはないのに。

「ま、けんかするほど仲がいいとも言うしねえ」

「早紀にもそう言われた」

確かに、こんなのはありふれた小さなけんかなのかもしれない。でも同時に、問題はもっと根本的な気もする。

「フランス、遠いよね……」

「遊びに行けばいいじゃない」

美和ちゃんはなんでもないことのように言うけれど、そんな単純な話ではない。

「富田くんはパンに夢中になって、わたしのことなんて忘れちゃうよ……」

だから遊びに行くの、と美和ちゃんは当然のことのように言う。ゆうこちゃんだって、本場のパンに興味あるでしょ？　住んでるひとに案内してもらえるチャンスなんてそうそうないよ？

「一生のお別れってわけでもないし、もっとシチュエーションを楽しまなきゃ」

第一、まだまだ先のことでしょ、と美和ちゃんはあくまでポジティブだ。決まった話でもないんだし、くよくよ考えてもしかたないよ。

「かっこいいじゃない、異国の地で自分の力を磨きたいなんて」

わかっている。気になっているのは、二年先にはなればなれになる可能性自体というより、富田くんの中でのわたしの位置づけなのだ。考えても意味がないと頭ではわかっていても、考えてしまうのだからどうしようもない。

「もしかして、パンとわたしとどっちが大事なの、みたいな？」

美和ちゃんがわたしの顔をのぞきこむ。まじめな表情を作っているけれど、よく見ると目は笑っている。わたしがこんなに悩んでいるのに。

「そういうわけじゃないけど」

さすがにむっとして、言い返した。

きっと美和ちゃんにはわからない。村上さんに大事にされて、わがままいっぱいに過ごしている美和ちゃんには、わたしの不安は絶対にわからない。

「ちょっと、泣くことないじゃない」

あわてた調子で言ったのは、しかし、美和ちゃんではなく聡子だった。

聡子にゆっくり背中をさすってもらっていたら、だんだん気分が落ち着いてきた。

「もっと強気でいかなきゃ」

わたしが泣きやむと、聡子は言った。

「こういうのは楽しんだもの勝ちなんだからね」

そんなことを言われても、

「そんな余裕ないよ……」

今のわたしには、自分の気持ちさえうまくコントロールできない。

「美和ちゃんがうらやましい」

わたしが言うと、聡子は思いがけないことを言った。

「この子はゆうこのことをうらやましいと思ってるわよ」

ゆうこはラッキーなのよ、その年で富田くんに出会えて。

「そのひとのことで頭がいっぱいになるような、そんな相手に出会える確率って、そんなに高くないのよ？」

そういえば、美和ちゃんは前に言っていた。たまに、村上さんのことを忘れてしまいそうになる、と。もちろん、だからと言って、美和ちゃんが村上さんのことを好きじゃないということにはならない。でも、わたしの富田くん話を聞きながら、いいなあといつも目を輝かせる美和ちゃんの気持ちが、やっと少しだけわかったような気がした。

「ひとを好きになるのは、どうしようもないことなの」

わたしがあなたのパパを好きになったように。あなたのパパがわたしを好きになったように、そして、ミドリのことも好きになったように。

「理屈じゃないから、どうしても止められないの」

それは全然、格好悪いことじゃない。むしろ、自分の気持ちを隠したりごまかしたり、じたばたするほうがよっぽどみっともないわよ。そもそも、せっかく出会えたのに、もったいない。

「絶対に逃しちゃだめよ」

絶対に、に力をこめて聡子は言う。もう死んじゃってるわたしが言うのもなんだけど、一生後悔する。

「人生は短いんだから」

聡子が言うと、説得力がある。

「後になってから、あのときこうしておけばよかったと思っても、遅いのよ」

つまらない意地を張るのはやめなさい、と聡子はわたしの肩をぽんぽんとたたいた。

気持ちは、口に出して言わないとなかなか伝わらないよ。

「明日にでも、きちんと謝りに行きなさい」

はい、とわたしはおとなしくうなずいた。明日は日曜日だから、富田くんはアトリエを手伝っているはずだ。


お昼前のアトリエは混んでいた。外で少し待ったけれどお客さんは途切れず、富田くんは忙しそうにレジを打っている。こちらに気がつきそうな気配もないので、出直そうか、と迷っていると、ガラス越しに目が合った。富田くんは一瞬動きを止めたけれど、すぐに目をそらして作業に戻る。仕事中だから当然の反応と言えなくはないものの、まだ怒っているのだろうと思うと憂鬱だった。でも、ここで後戻りするわけにはいかない。聡子の真剣な声が、まだ耳の中に残っている。

やっと店内に人がいなくなったので、ドアを開ける。勇気をふりしぼって口を開きかけたのに、

「ちょっと待って」

富田くんはそっけなく言って、奥に引っ込んでしまった。わたしは泣きたい気持ち

になる。このまま出てきてもらえなかったらどうしよう。

　でも、富田くんは戻ってきた。

「こないだの、おわび」

　怒ったような顔でこちらに差し出したのは、うさぎパンだった。

　目は赤いゼリービーンズ、鼻はレーズンで口がチョコレート。わたしはまたしても泣きそうになった。最近、涙腺がゆるんでいる気がする。

　やっとのことで、ごめんね、と言った。

「これ、食べていい？」

「もちろん」

　富田くんは大きくうなずいた。あまりにかわいらしくて食べるのはしのびない気もしたけれど、せっかくだからいただくことにした。

「おいしい」

　うさぎの耳をかじりながらわたしが言うと、じっとわたしの様子を見守っていた富田くんは、やっと笑顔になった。

「実は失敗作がいっぱいあるから、どんどん食べて」

これ、耳を長くするのが難しいんだ、と照れくさそうに言う。

「ふくらむと、うさぎっぽくなくなっちゃって」

厨房に入っていくと、猫のようにも熊のようにも見えるうさぎパンが大量に並んでいた。


その日の夕方に美和ちゃんが来て、さっそく一部始終を報告した。案の定、話していると聡子が顔を出した。

「聡子のおかげだよ」

わたしは早くありがとうと言いたかったから、うれしかった。

「さすが母親だよね」

テンションの高いわたしに対して、聡子はいつもと少し様子が違った。話を聞いてはいるものの、なんだか上《うわ》の空なのだ。富田くんにもらったうさぎパンを見せると、なつかしい、と少し笑顔になったけれど、すぐにまた黙りこんでしまう。

「どうしたの？」

なんだかいやな感じがした。

聡子はわたしをまじまじと見た。そして、

「お別れだわ」

と、静かに言った。

「いきなりなに言ってるのよ？」

わたしはうろたえた。お別れだというのが事実なのは、聞いた瞬間にわかっていた。

同時に、わたしに聡子をひきとめる力はないというのも、よくわかっていた。

「最後にいいこと教えてあげる」

しかも聡子は、とんでもないことを言い出した。

「なに？」

「ゆうこを産んだの、わたしじゃないわよ。ミドリよ」

当然、わたしは耳を疑った。

「嘘でしょ？」

情けない声になった。

驚くべきところなのに、最近衝撃的なことが多すぎて、わたしの感覚は麻痺《まひ》してしまったらしい。わたしには、がっくりと肩をおとすことしかできない。

「まぬけなことにね、わたしたち、ほぼ同時に妊娠したの。予定日だってけっこう近かった。まあ、当時のわたしは、ミドリの存在さえ知らなかったわけなんだけど」

聡子は表情をやわらげる。

「子供ができたってわかったとき、わたし、本当にうれしかった。わたしは体が弱いから子供はあきらめたほうがいいって周りには反対されたけど、絶対に産んでみせたかった」

子供は死産だった。しかし、聡子はそのことを知らされなかった。無理をしたせいで母体にも大きな負担がかかり、昏睡状態に入ってしまったからだ。

生死の境をさまよい、三ヶ月後に奇跡的に目を覚ましたとき、ベッドのかたわらには赤ん坊を抱いた夫の姿があった。

「それが、わたし？」

聞くまでもなかったけれど、声を出さないと意識をちゃんと保てない。

「どうやって話をつけたかは知らないけど、ミドリの産んだ子供をわたしたちの養女としてひきとったのよ。わたしが眠っている間にね」

きっと近所のひとたちだって気がつかなかったと思うわ、と聡子は肩をすくめる。

そうして三年が過ぎた。

「わたしね、もうだめだって思ったときに、一番つらかったのはゆうこを残していくことだった」

だからあのひとに頼んだの、と聡子は言った。どうかこの子にふさわしい母親をみつけてねって。

「それで、ミドリがきた」

ことのなりゆきを知っている祖母は、強く反対したという。妻が死んだからといって、すぐ愛人と一緒になるなんて。

「ゆうこは知らないと思うけど、おばあちゃんのだんなさん、あなたにとってはおじいちゃんになるけど、昔、愛人とかけおちしちゃったのよ」

わたしは知らなかった。祖母も父も、祖父の話をしたことがなかった。てっきり、わたしが生まれる前に亡くなったのだと思っていた。

「だからどうしても、ミドリのことが許せなかったみたいなの」

祖母の、ミドリさんに対する冷たい態度が目に浮かんだ。あきらめきって、無抵抗な様子のミドリさんに、わたしは聞いたことがある。

「どうしてパパなんかと結婚したの？」

好きだから、とミドリさんはためらわずに答えた。

「優子ちゃんと一緒に暮らせるのもうれしかったし」

確か、そうも言った。

「ミドリがゆうこを一度手放した理由はわかるよね？」

聡子はひどく優しい声を出す。

「あなたに幸せになってほしかったからなのよ」

自分がひとりで育てるよりも、両親がそろっているほうがいいに決まっている、とミドリさんは言ったそうだ。この子が立派に育ってくれるのなら、わたしは一生会えなくてもかまいません、と。

「どうしてわたしに話したの？」

最後にわたしが聞くと、

「ゆうこには知る権利があるから」

聡子はきっぱりと言った。

「あと、ゆうこをわたしに三年間も育てさせてくれた、ミドリに対する恩返しかな」

「恩返しになんかならないよ」

泣くまいと思っても、やっぱり涙が出てきてしまう。

「別にわたし、血がつながってるかどうかなんてぜんぜん気にしないもん。それがわかったからって、何が変わるわけでもないもん」

わたしはこのことをミドリさんには言わないだろう。わたしにそれを告げたのが、聡子だということも。

聡子はゆっくり微笑んだ。

「ありがとう」

血がつながっていなくても、三年間、聡子の娘でいられてよかったよ。

わたしは言おうとしたけれど、また泣いてしまいそうなので、心の中で思うだけにした。

「また、いつかどこかで会えるといいね」

そして、聡子はふっつりと姿を消した。

二学期は、とどこおりなく過ぎた。

とどこおりなくと言っても、世の中は流れているわけだし、わたしたちは着実に年をとっていくわけで、それなりにいろいろなことはあった。

一番の大事件は、富田くんとつきあい始めたことだ。告白されたのは、いつものようにアトリエに寄った帰り、うちに送ってもらう途中だった。

朝からじとじとと降り続いた雨は、夕方になってやっとあがっていた。雨の日はお客さんが少ないから、とアトリエのパンをお土産にもらい、ぶらさげて帰った。地面はまだしっとりとぬれている。

「あ」

わたしの家のすぐそばまで来たとき、富田くんがいきなり声を上げた。

「あれ」

指さした先を見ると、虹だった。淡い水色の空に、七色のアーチがくっきりとかかっている。

「すごい、虹なんてひさしぶりに見た」

しばらく立ち止まって見とれた。気づくと、同じ方向を見ていたはずの富田くんが、こちらをじっと見ていた。

「つきあおうか」

と、富田くんは言った。

「つきあおうか」

と、わたしも言った。

「よし、きまり」

富田くんは言って、傘をぐるぐると振り回した。水滴が飛び散って、きらきらと光った。わたしは、息を止めていたことにやっと気がついた。

それから、早紀に彼氏ができた（なんと、予備校の先生。家庭教師に見切りをつけて、早紀なりに「新規市場を開拓」した結果だという）。わたしたちはトリプルデートの計画を立てている。

「信じらんないくらいラブラブなの」

美和ちゃんカップルにも負けないはず、と早紀は勝手に闘志を燃やしている。

村上さんが、准教授になった。お祝いしなきゃ、とわたしは言ったけれど、

「よくやるわよねえ」

と、美和ちゃんの反応はクールだった。

「変な不祥事とかにまきこまれないといいけど」

あのひと、ああ見えて詰めが甘いところがあるから、と半ば本気で心配したりしている。

アトリエがOL向けの雑誌に紹介されて、お店に女のひとが押し寄せた。富田くん

のお父さんはてんてこまいで、最近はお母さんがよく手伝いに行っているらしい。うちの近所にケーキ屋とパン屋が一軒ずつオープンして、パン屋のほうはひと月ほどでつぶれた。

美和ちゃんは相変わらず週に一回か二回来て、二時間勉強を教え、三十分ほど無駄話をして帰って行く。だいたい土日の午前中なので、一緒に昼ごはんを食べることもある。この間は、手作りのクロワッサンを味見してもらった。クロワッサンは、作るのが難しいし手間もかかる。バターがきれいに層になるように、何度も何度もこね直さなければいけない。でも、がんばった甲斐あって、

「プロみたい」

これ、売れるんじゃない？　とまでほめられて、わたしは鼻が高かった。

聡子はあれっきり現れない。成仏《じょうぶつ》、ということになるのだろうか。

もっと話したいこともあったような気もしたが、それはそれでよかったと思うことにした。

クリスマスイブは、ひとりだった。しかも、風邪だった。

ミドリさんはロンドンの父のところに行ってしまったので、わたしはひとりで留守番していた。

自分から行きたくないと言ったのだから気を遣わなくていいのに、わたしを置いていくのをミドリさんは最後まで気にしていた。しかももともと心配性なので、出発間際まで戸締りやら火の用心やらその他もろもろのことを、何度も何度も言い含められた。家中にクリスマスの飾りつけをして、

「お友達を呼んでいいのよ」

言われたものの、早紀はもちろんデートだし、富田くんはアトリエの手伝い（クリスマスケーキの予約を受けたので、今日はものすごく忙しいらしい）がある。わたしも手伝いに行く約束だったが、風邪菌入りのクリスマスケーキでアトリエの評判をおとすわけにはいかない。

「大丈夫？」

風邪をひいたと言うと富田くんは心配そうにしたけれど、たいしたことない、となんとか元気な声を出して電話を切った。

実際には体がだるく、わたしは無意味に庭のツリーのイルミネーションをつけたまま、リビングでごろごろしていた。

気がつくと、真っ暗になっていた。

いつのまにかソファで眠ってしまったらしい。時計は六時過ぎをさしている。黒々とした窓の外に、ちかちかと光るツリーが映えていた。

のろのろと起き上がると、それでも睡眠をとったせいか、体は軽くなっていた。冷たくなってしまった紅茶を飲んで、だいぶ頭がすっきりした。

携帯を見ると、着信があった。富田くんから一件と美和ちゃんから一件、どちらも五時半頃だから、つい三十分ほど前になる。

留守電を再生すると、

「あ、おれ」

ひとつ目は、富田くんからだった。

「バイト代が出たからごはんでもどうかと思ったんだけど、もしかして寝てる？　もしも元気になったら連絡ください」

あ、でも、無理はしないで。つけたすところが富田くんらしい。早口のそのメッセージに続いて、美和ちゃんの声も入っていた。

「もしもしゆうこちゃん？　美和です。富田くんとデート中？　クリスマスプレゼントを買いました。門のところにかけてあるから帰ったら見てみてね」

プレゼント？

富田くんには申し訳ないけれど、そっちのほうがまず気になった。

わたしは窓から外をのぞいてみた。門灯にぼんやりと照らされ、白い紙袋が見える。部屋着のままでスニーカーをつっかけ、おもてに出た。外の空気はきんと冷たく、少し残っていた眠気がふきとぶ。

紙袋は軽かった。中には金色のリボンのかかった丸い包みが入っている。その場で赤い包装紙を丁寧にはがすと、くるまれていた中身が姿を見せた。

そして、すべてを、思い出した。

出てきたのは、手のひらほどの大きさの、白いうさぎのぬいぐるみだった。

門灯のあかりを頼りに、一気に読んだ。

紙袋の中には、一緒に手紙が入っていた。見慣れた美和ちゃんの字が並んでいる。

ゆうこちゃんへ

メリークリスマス！

ぬいぐるみなんて子どもっぽいかなと思ったんだけど、このうさこがわたしを呼んでたの！　というのは冗談です。

最近、何回か同じ夢を見ました。

小さい女の子が泣いていて、わたしはその子を慰めようとしてるの。わたしのポケットの中にはいろんなおもちゃが入っていて、順番にそれを見せるけど、どうしても泣きやまない。

わたしが困ってたら、最後に底のほうからうさぎのぬいぐるみが出てきたの。それを渡したとたんに女の子は笑って、ありがとうって言うの。

それだけ。


別にその女の子がゆうこちゃんに似ていたとかじゃないんだけど、なんとなくその夢は心に残っていて、そしたらデパートでこのうさぎを見つけたの。

つい買っちゃった。

しかもふたつも。というわけで、おそろいです。

たぶんこれは幸せのうさぎだよ。

美和

幸せのうさぎ。

わたしはそのうさぎを知っていた。それは三歳のわたしの、一番のお気に入りのぬいぐるみだった。どこに行くときも、わたしはそのうさぎを連れていた。眠るときも、お風呂に入るときでさえ、離すのを嫌がった。

小さい頃、わたしは体が丈夫ではなく、ひどい偏食で食が細かった。ちゃんとごはんを食べさせるために、聡子は食べものでうさぎを作ってくれた。うさぎのりんご。うさぎの形に型を抜いたおにぎり。オムライスの上には、ケチャップでうさぎのマーク。そして、なによりもわたしの大好物だった、うさぎパン。

わたしは聡子のことを覚えていた。

食事の用意をする聡子。

絵本を読む聡子。

スーパーで買い物をする聡子。

鼻歌をうたう聡子。

笑っている聡子。

怒っている聡子。

つないだ手。

ゆうこ、とわたしを呼ぶ声。

うさぎをにぎりしめたまま、わたしは言った。

「話したいことがあるの」

わたしの大切なひとたちの話を、富田くんに聞いてほしい。

「うん」

富田くんが、少しびっくりした顔をする。

「じゃあまず、ケーキ食べよう」

わたしは言って、お茶をいれにキッチンに立った。お湯をわかしながら、クリスマスソングを口ずさむ。キッチンの窓がたちまちくもった。

ケーキの箱を開けると、富田くんのブッシュドノエルにも、砂糖菓子のうさぎがのっていた。

# はちみつ

部屋に戻ると、机の上に茶色い紙袋が置いてあった。

なんの装飾もついていない、素朴な袋だ。模様もロゴも、持ち手もなく、口がざっくりと折り返してある。底にはまちがついていて、正面から見れば長方形、横からだと三角形、ちょうどテントを細長く上に引き伸ばしたような形をしている。背の高さは横のペットボトルとだいたい同じくらいで、内線電話やパソコンやバインダーや辞書なんかが雑然と並んだわたしの机の上に、ひっそりとさりげなくなじんでいる。

十ばかりある他のデスクのどれにも、人影はない。教授や助手たちは昼食に出ているか、もしくはいつものように、隣の実験室にこもっているのだろう。わたしの大きなため息は、研究室の誰にも聞きとがめられずにすんだ。

袋の中身はわかっている。ドアを開けたときから、においがしていた。

わたしはゆっくりと机に近づいて、袋を持ち上げた。ほのかな温《ぬく》もりとしっかりした重みを手のひらに感じながら、口を開けて中をのぞきこむ。小麦の香りがふわりと鼻先をくすぐった。

袋の中には、小ぶりのパンがごろごろと入っていた。

つやつや光る、三日月形のクロワッサン。

てっぺんにチーズがたっぷりかかったまるいパン。

緑と黒のオリーブがふんだんに埋めこまれたフォカッチャ。

ひょろりと長細い形はそのままに、縮尺だけが三分の一ほどになったミニバゲット。

渋い色あいのライ麦パンは、もともと大きなかたまりを切り分けたのだろう、ねりこまれた中身が断面からのぞいている。ひとつは杏《あんず》色のドライフルーツ、もう片方は数種類の豆がまじっていた。

わたしは紙袋の口を閉めて机の上に戻し、かわりに電話の受話器を取り上げた。

「もしもし」

コール一回で、美和が出た。声にかすかに緊張がにじんでいる。

「どうして？」

わたしはたずねた。

「ねえ、どうしてこういうことするの？」

美和はわたしの質問には答えずに、

「まだだめ？」

と、逆に聞き返した。挑むように語尾をはねあげて。

お返しというのではないけれど、わたしのほうも美和の問いかけを無視することにした。相手の顔が見えないかわりにパンの袋をにらみつつ、しばらく沈黙をやり過ごす。

次に口を開いたのは、美和だった。

「お昼、一緒に食べよう」

わたしの返事を待たずに電話は切れた。わたしはもう一度、ため息をついた。

美和は三分でやってきた。

ふわふわした白い長めのニットを羽織り、細身のジーンズにキャラメル色のブーツを合わせ、右手には机の上に置いてあるのと同じ紙袋、左手にパック入りの林檎《りんご》ジュースを持っている。小柄で童顔なこともあって、絵本に出てくる外国の子どもみたいに見える。まるくて大きな瞳も、肩のあたりでふんわりとカールしている栗色の髪も、なんとなくそれっぽい。

「おまたせ」

美和はわたしと目を合わさずに言って、いつも通りに隣のデスクから椅子をひっぱってきた。キャスターがからからとたよりない音を立てる。

「ああ、おなかすいた」

ひとりごちて、美和はわたしの横に腰を下ろした。机に積み重なった書類を無造作に押しのけ、空いたスペースにジュースと持参した袋を置く。折り返されている口をいそいそと開けると、パンの香りが濃くなった。

「どれからいこうかな」

やっぱりわたしのほうは見ないまま、真剣な顔で袋の中身を物色した末に、美和は結局クロワッサンを取り出した。ぴんととがった先端をひと口かじり、わざとらしく声を上げる。

「ああ、おいしい」

すぐそばに置きっぱなしになっているもうひとつの袋には、目もくれない。どうやらなんの説明も、もちろん弁解も謝罪も、期待できないようだった。

「こっちも、どうぞ」

わたしは力いっぱい紙袋を押しやった。美和がもぐもぐと口を動かしながら、やっとこちらを向いた。今日はじめて視線が合った。

ほおばっていたパンをのみこんで、美和はおもむろに口を開いた。

「喪はまだ明けないの？」

「喪になんか服してない」

わたしは反射的に言い返した。美和が顔をしかめ、じゃあ、と皮肉っぽくたずねる。

「なんで食べないの？」

美和は意地悪だ。理由なんてわかっているくせにこういう聞きかたをしてみたり、わざわざ袋いっぱいのパンを買ってきてみたり。

「桐子、ごはんは？」

むっつりと黙りこんだわたしに、美和は重ねて聞いた。

「大丈夫、ちゃんと買ってきたから」

わたしは答え、鞄からコンビニ袋を取り出した。机の上でさかさにすると、ころんころんとふたつ、ビニールで包まれたおにぎりが転がり落ちる。ひとつが鮭で、もうひとつが梅だ。ここひと月ほどずっと変わらない。

美和がきゅっと切なげに眉を寄せた。

「もっと栄養あるもの、食べたほうがいいよ」

「美和だって。パンだと炭水化物しかとれないよ」

わたしは反論して、手際よくビニールをむしりとり、ひやりと冷たいおにぎりに口をつけた。これはこれで悪くない。おいしくはないけれど、まずくもない。別におにぎりそのもののせいではない。わたしは今、味がよくわからないのだ。比喩ではなく、文字通り、味覚がない。食欲もない。

これで倒れたりしたら、わたし、桐子と縁を切るよ——そう宣言した美和の顔つきがひどく険しく、本気が伝わってきたので、一応は胃の中に食べものを入れている。

「ちゃんとサンドイッチも買ってきたもん。お肉も野菜も入ってる」

「おにぎりにも鮭と梅が入ってるよ。魚と、野菜」

美和は無言でサンドイッチにかぶりついた。

薄くスライスされた黒パンの間には、ハムとレタスとトマトが挟まっている。縞模様の色あいが、とてもきれいだ。


お互いの昼食を食べ終えたところで、昼休みの終わりを告げる予鈴が鳴った。美和はあわただしく立ち上がり、空になった袋をごみ箱に投げ入れた。

「来週は一回くらいゆっくり外で食べようよ」

椅子を元の位置に戻しつつ、美和がせかせかと言った。

「そうだね」

わたしはうなずき、

「ごめん」

と、言い添えた。自分でもわかっている。喪に服していないと言い張るつもりなら、大人気ない態度は慎むべきなのだ。つっけんどんな物言いで美和に突っかかるなんて、ほとんど八つ当たりに近い。

わたしの声が小さすぎて聞こえなかったのか、聞こえなかったふりなのか、美和は特になんとも応えなかった。足早に出口へと向かい、ドアノブに手をかける。

開いた扉の向こう、廊下側には、ちょうど教授が立っていた。

「おお、美和くん」

「こんにちは」

戸をおさえてぺこりとおじぎした美和に、教授はのんびりと話しかけた。

「どう、最近は？　実験は順調？」

この教授が、研究室の主であり、またわたしの雇い主でもある。いいひとなのだけれど、話が長いのだけが玉にきずだ。いったんつかまってしまうとなかなか解放してもらえない。

「はい、おかげさまで」

美和はほがらかに微笑んでいる。けっこう急いでいたはずなのに、そんな気配はおくびにも出さない。もっとも、美和がこうして教授と良好な関係を築いてくれているおかげで、わたしは今の仕事にめぐりあえたのだ。去年、教授が秘書（というか、研究室全体の雑用係）を探していると聞いて、美和はすかさずわたしを推薦してくれたのだった。派遣社員の契約を切られて途方に暮れていた幼馴染《おさななじみ》を、まじめでしっかりした働き者ですというふれこみで。

美和はここではなく、ひとつ上の階にある別の研究室に所属する博士課程の一年生で、物理学を専攻している。博士というのは修士、いわゆる大学院生のさらに上になり、つまり大学に入って七年目ということだ。そんな立場の学生がいるなんて、わたしは美和に聞くまで知らなかった。字面《じづら》だけ見て、ハカセ、と読み、子どもの頃に見ていたアニメに出てきたような、もしゃもしゃの白髪頭に白衣姿の「博士」を思い浮かべた。

わたしが勘違いを打ち明けたとき、美和は爆笑していた。

「ハカセって、わたしが？　なんか、うさんくさくない？」

いつものもの、気持ちのいい笑いかただった。相手の無知を馬鹿にしたり見下したりするふうではなく、気のきいた冗談を披露されて、素直に感心しているというような。知能指数や偏差値といった基準でいけば、美和はそうとう頭がいいはずなのに、あまりそうは見えない。それがこの友達の美点のひとつだと常々わたしは思っていて、当人の前で口に出してほめてみたこともあるけれど、嫌そうに鼻を鳴らされただけに終わった。

わたしたちは実家が近いとはいえ、頭の出来や性格はまるで違う。学校もずっと別だったし、疎遠にならなかったのが不思議ともいえるくらいだ。それでもつきあいが続いてきたのは、単純に気が合うからだろう。ごく幼い頃に一緒にいたせいで、根っこの部分がつながっているのかもしれない。公園で遊んだり近所を探検したり、家族ぐるみで食事をしたり、夏にはプール、冬にはスケートに出かけたりもした。幼稚園に上がるくらいまで、わたしたちはいつもくっついていた。

だから、本来はわりと人見知りするわたしも、この新しい職場については最初からあまり不安を感じなかった。美和にすすめられた場所なら、たいがいなじめそうな気がしていた。しかもすぐそばに本人もいる。

わたしの予感は当たっていた。

「うまくなじめてよかった」

勤め始めてしばらく経った頃、美和が言ったことがある。

「桐子なら大丈夫だとは思ってたんだけど、ここのひとたちみんな変わってるから。面倒見るのが大変でしょ？　新しい秘書さんが来ても、なかなか続かなくて」

美和の気遣いは、しかしわたしにはいまひとつぴんとこなかった。

確かに、ここのひとたちは「変わっている」。わたしの周りの、たとえば親兄弟や高校までの友達やこれまでの職場の同僚たちとは、かなり雰囲気が違っているし、一般常識にも生活感にも乏しい。今までの仕事場にはなかったような、びっくりするようなことも起こる。出勤したら学生が床に倒れて爆睡していたり（最初のときは単に徹夜明けだというのがわからずに救急車を呼んでしまった）、実験結果をパソコンに保存しそこねた助手のひとりが逆上して液晶画面に頭突きしたり（研究室の電話には修理業者の番号が短縮ダイヤルで入っている）、きちんと整理整頓しておいたキャビネの中身が翌日には泥棒が入った後のようにしっちゃかめっちゃかにひっくり返されていたりもする（いたりもする、というか、だいたい毎朝そうだ）。研究室の面々は、日によって口をきいてくれなかったり、逆にべらべらとわけのわからないことを熱心に話し出したりする。

でも、それがなんだろう。

救急隊員には誠意をもって謝ればいい。散らかった棚はまたかたづければいい。話しかけても返事がないときは、研究に没頭して上の空になっているのだから、そっとしておけばいい。機嫌よく喋《しゃべ》っている分には、にこにこして聞き流せばいい（外国人に話しかけられたときにも、わたしはそうやって切り抜ける）。最初は戸惑うことも多かったけれど、じきに慣れた。自慢ではないが、わたしはこう見えてもけっこう適応能力は高いほうなのだ。たいていのことには冷静に対処できる。

「先生も学生もわがままだからねえ。みんなかなり子どもだし、集中しちゃうと周りが見えなくなるし」

　そう同情されても、わたしには彼らがそこまで「わがまま」だとも「子ども」だとも思えなかった。これならかわいいものだとひそかに考えた。本物の「わがまま」を、美和は知らない。幸福なことだ。

「悪いひとたちじゃないんだけど。まあ、大目に見てあげてよ」

　美和はどうも自分だけは彼らと違うと思っている節があり、他人《ひと》ごとのようにそんなことを言う。でもわたしから見れば、美和だって十分に変わっている。物理学を専攻している女子学生は稀有《けう》な存在だ（工学部物理学研究棟三号館という長い名前のついたこの建物全体で、ひとりしかいない）とか、その上あと一年で博士号をとる（そのうち本物の「ハカセ」になってしまうんじゃないか）とか、そういった客観的な事実だけでなく、あるいは研究室の男性陣が見せる突飛な生活スタイルや奇癖とも一味違って、もっとなんというか、物事の考えかたや性質の面で。

次々と帰ってくる研究室の人々に片っ端から挨拶を済ませた後、美和はやっと出ていった。

わたしも午後の仕事を始めることにした。ふだんは実験や講義で空席が目立つデスクの、珍しく大半が埋まっている。一番奥の窓際に教授が陣取り、その向かいに准教授、そこから手前にある入り口のほうへ、助手、院生、学部生、と身分の順で二列に並ぶ。肩書きは違っても、皆なんとなく似たような風貌をしている。私語はほとんどなく、人数のわりに部屋は静かだ。仕事もはかどる。

でも残念ながら、すぐ業務にとりかかることはできなかった。パソコンの陰に置き去りにされていた紙袋に気づき、わたしはあわてて立ち上がった。

美和には階段の踊り場で追いついた。

「これ、持って帰ってよ」

「わかった」

押し付けられた紙袋を、美和は渋々受け取った。

「だけど、この店すごくおいしいよ。桐子も絶対気に入る」

「ありがとう」

わたしは言った。あやすような口調になった。

「ありがとう、でも、今日はいい。また今度」

「あんなに好きだったのに」

美和が不服げにつぶやいた。パンの袋を、中身がつぶれてしまいそうなくらい強く抱きしめて。

思いがけない反撃に意表をつかれ、わたしはうつむいて衝撃に耐えた。

あんなに好きだったのに。

あんなに好きだったのに、シュウは出ていってしまった。そしてわたしは、「あんなに好きだった」パンを食べられなくなってしまった。

「いつ終わるの、喪中は？」

通りすがりの学生がちらとふりむいた。怪訝《けげん》そうな視線にはおかまいなしに、美和はわたしをぎゅっとにらみつけている。

むろん、喪に服す、という言い回しは大げさだ。

シュウはちゃんと生きている。ぴんぴんしている。憎らしいほどに、元気に違いない。新しい恋が始まったから。これまであんなに好きだった（はずの）わたしよりも、好きなひとに出会ってしまったから。

そういう意味では、喪に服してもらうべきなのはわたしのほうかもしれない。

「でもそれって、不公平じゃない？　くやしくないの？」

美和は不満げに唇をとがらせる。わたしだってそう思う。不公平だし、不平等だし、納得いかない。

でも、細かいことはもうどうでもいい。

ひと月前にシュウがいなくなって以来、本当にいろんなことがどうでもよくなっている。

「桐子ってほんとに恋愛体質だよねえ」

美和は人聞きの悪いことを言う。わたしのこれまでの恋、たとえば中学の先輩への片想いも、高校でのクラスメイトとのつきあいも、派遣先で知り合った営業マンとの一部始終も、美和はすべて知っている。

「まじめっていうか、一途《いちず》っていうか。いつもそんなに全力出してたら、疲れちゃうでしょう」

恋愛体質かどうかはともかく、全力を出さずに恋ができるとは、わたしには思えない。恋をしたら否応なしに全力が出てしまう、というほうが、より当たっているかもしれない。

さらに今回、これまで以上にダメージが大きい気がするのは、シュウが四六時中わたしの部屋に入り浸っていたからだろうか。お互いの仕事以外の時間は、始終べったりと一緒に過ごしていたからだろうか。あるいは――これがわたしにとっては一番しっくりくる理由だが――相手がシュウだからなのか。出会ってから、まだたった半年しか経っていないというのに。

正直、自分でもびっくりしている。失恋してものが食べられなくなるなんて、わたしはそんなにやわにできていたとは。わかりやすすぎるし、格好が悪すぎる。

最初は気がつかなかった。

とにかくぼんやりしていたのだ。別れ話を切り出されたとき、わたしは最後までおとなしく耳を傾けた。ところどころ理解できないところがあったけれど、問い詰めたりなじったりしなかった。泣いたりわめいたりも、しなかった。すべてが他人ごとのように聞こえたからだ。

そのかわり、よく眠った。荷物をまとめたシュウが部屋から出ていってしまった後、すぐベッドにもぐりこみ、気がついたらもう朝だった。

布団から這《は》い出して冷蔵庫を開け、めぼしいものが入っていなかったので冷凍庫ものぞき、かちかちに凍ったパンを見つけた。袋から半分ほどを取り出してトースターに入れながら、わたしはいたって平静だった。少なくとも自分ではそのつもりだった。食欲はなかったが、まあこの状況なら当然かもしれない、と落ち着いて納得できるだけの余裕さえあった。そして、その妙に冷静な心持ちのままで、とりあえずなにか食べておこうと考えたのだった。

ほどなくして焼き上がったパンを、バターもジャムもなにもつけずに、立ったままでかじった。味がしないのもまた、しかたないことなのだろうと思った。

そして、吐いた。

苦しくはなかった。胸焼けも腹痛も、ない。おかしな言いかただけれど、咀嚼《そしゃく》した分の食べものが、なにかの拍子につるんと逆流して出てきてしまったというような感じだった。午後になって、残り半分のパンでもう一度試してみたが、同じ結果に終わった。ただ純粋に、体が受けつけないようだった。

はじめは驚いた。苦しくないとはいえ、体が吐くという反応を示しているのだ。普通ではない。

頭をよぎった不安は、でもすぐにしぼんだ。

まあいいや、とわたしは思い直した。食欲がわかないのは、つまり体が食べものを欲していないからなのだ。そっとしておけばいつかはおさまるだろうし、別につらいわけでもない。仮に体力が落ちたり不都合が起こったりしたら、そうなってしまってから考えたらいい。薬だって点滴だってある。投げやりとか自暴自棄とかいうのではなく、ある意味では前向きに、いっそ気楽に、開き直った。

結論からいえば、わたしには薬も点滴も必要なかった。

食べられるものと、食べられないものがあったのだ。

だめなのは、まず、パン。それから林檎、野菜ジュース、ヨーグルト。もっとも、食べられないとはいっても、目にしただけで吐き気がしてくるというようなことはなかった。においで気分が悪くなることもないし、他のひとが食べるのを見る分にも全く平気だった。ただ、口に入れると必ず戻ってきてしまう。そういうしくみの実験器具みたいに。

大丈夫だったのは、コーヒー、チキンナゲット、納豆、キャラメル。試していないが、焼肉やラーメン、ファーストフードもきっと問題ない。そういったしつこい食事やジャンクフードを、シュウは嫌っていた。体に毒だからと切り捨てた。ちゃんとしたものを食べないと人間としてだめになるというのが、シュウの持論だ。食事に並々ならぬ情熱を注ぎ、食欲を満たすためだけに適当なものを食べるくらいなら、餓《う》えるほうを選ぶような男だった。

わたしもその影響をもろに受けた。スナック菓子を食べなくなった。冷凍食品の買い置きをすべて処分した。無添加食品や有機野菜に興味を持つようになった。

「徹底してるんだねえ。めんどくさくない？　わたしなら息が詰まるな」

シュウの話をすると、美和にはよく眉をひそめられたものだ。

「なんか、生きにくそう」

わたしも、少し神経質すぎるのではないかと思わないでもなかった。主義やこだわりを持つにしても、少し度が過ぎるのではないか。でもシュウとしては、わたしを含めたその他大勢のほうが鈍感なのだという意見だった。

「鈍感？」

理解できない、と美和は頭をふった。それをとろとろの声で喋ってる桐子もおかしいよ。絶対どうかしてる、と。

このひと月、わたしはほとんどコンビニに売られているものしか食べていない。シュウはコンビニには立ち寄ろうとすらしなかった。

シュウが出ていった翌日、わたしは商店街に出かけてみた。ふたりで暮らしていた部屋でじっとしていたら、うまく息ができなくなってきたのだった。

頭は相変わらずぼんやりしていた。三月に入ったというのにまだ風は冷たく、薄手のセーター一枚でふらふら出てきてしまったので寒かった。

　魚屋の店主と八百屋の奥さんが、お互いの店の境目のあたりで立ち話をしている。肉屋の店先に短い行列ができている。揚げものが苦手なシュウも、ここのメンチカツはよく買ってきた。その向かいでは、ビストロの店員が鉢植えに水をやっている。この店はランチタイムからグラスワインを飲めるので重宝していた。

　わたしはポケットに手をつっこんで、足を早めた。この商店街ならだいたいどの店にも入ったことがあった。スパイスのきいた野菜カレーを出すオープンカフェ、その斜《はす》向かいに並ぶ定食屋と蕎麦屋、手打ちパスタを売りにしているイタリアン。店先には、今日の日替わりメニューが書かれた黒板が立てかけられている。ボンゴレビアンコ、桜海老ときのこのクリームソース、トマトとチーズの玄米リゾット。この選択肢ならきっと、シュウがリゾット、わたしはボンゴレを注文する。貝のにゅるっとした食感は嫌いだけどだしの味は大好き、とシュウはまた子どもっぽいことを言って、わたしのパスタをつつくだろう。

　シュウはひどい偏食でもあった。食べものを大切にするかと思いきや、嫌いなものは平気で残す。素材が見えないからと出来合いの惣菜を遠ざけるわりには、頻繁に外食もする。言っていることにあまり一貫性とか筋道とかいうものがないひとだというのは、つきあい始めて少し経ってから気づいた。理屈っぽくもっともらしく主張するので、こちらは煙にまかれてしまうのだ。一見、愛想も人当たりもいいからあまり目立たないけれど、シュウはとても頑固だ。論理よりも強固な信念で、相手を説き伏せるのだった。

商店街の出口に駅が見えた。わたしはほとんど駆け足で、改札の隣にある全国チェーンのハンバーガーショップに入った。ちっとも空腹ではなかったが、せかされるように列に並び、にぎやかな原色でいろどられたメニューを見上げた。

店はほどほどに混んでいた。ガラス窓と向き合う形で作られたカウンター席には、一人客がひとつずつ間を空けて座っている。わたしは一番端に腰を下ろし、薄いアメリカンコーヒーで、貧弱な肉の挟まったハンバーガーとフライドポテトを流しこんだ。しっかりと手をつないだ男女、そろいのジャージを着た部活帰りらしき女子高生、赤ん坊の乗ったベビーカーを押す主婦。窓の向こうを行きかう人々は、なぜか皆ふたり連れだった。

店を出た後、歩いていくうちに、いつのまにか駅前をはずれて住宅街のほうへ足が向いていた。バス通りを折れて細い路地に入ると、パン屋の赤いひさしが見えた。

　この店を発見したのは、シュウと出会ってすぐの頃だった。それからは、たまに遠出したときに見つけた店に立ち寄ってみたり、定休日に当たってしまって別の店で調達したりといった例外を除けば、わたしたちはほぼ毎日ここのパンを食べていた。家族経営らしき小さな店だけれど、ばつぐんにおいしいのだ。本格的な石窯が据えられ、粉の風味を生かした嚙《か》みごたえのあるパンが並んでいる。味も品揃えも、本当にわたしたちの好みにぴったりだった。

　あんなに好きだったのに、と美和は言う。むしろあんなに好きだったからこそ、だめなのだろう。

　体だって覚えているに違いない。毎日、毎日、ふたりでパンを食べてきたのだ。朝に、昼に、晩に。思い出とは呼べないくらいの、ちまちまとささやかな記憶が、積み重なっている。

　たとえばバゲットなら、わたしはかりかりに焦げる寸前まで焼かれたはじっこをそのままかじるのが好きで、シュウは真ん中のふんわりしたところを厚めに切って、バターとジャムを塗るのが好きだ。酸味の強いカンパーニュに入っている果物だと、わたしはブルーベリーが一番で、シュウは季節限定の金柑。粉の配合が何種類かある食パンについては、わたしの好みは百パーセント全粒粉、シュウの場合は普通の小麦粉と五十パーセントずつ。

シュウはサンドイッチも好きだった。一番気に入っていたのは、蒸し鶏とかぼちゃサラダのやつだ。わたしもひと口ちょうだいとねだって味見させてもらったところ、ごま風味のドレッシングとぴりっときいたマスタードが具材によくなじんで、確かにおいしかった。つい半分ほど食べてしまったら、シュウは恨めしげにわたしをにらみ、その次からは最初にかじらせてくれなくなった。反対に、ハーブ入りのベーグルサンドには、飛びついてみたもののあまり舌に合わなかったようで、端を試しただけですぐこちらによこした。これは幸いわたし好みの味だったからよかったけれど、押し付けられて皮肉でも言おうものなら、シュウは決まって拗《す》ねていじける。

まるで子どもだ。

美和に言われるまでもない。明らかに、シュウには長所よりも短所のほうが圧倒的に多かった。わがままで自意識過剰で、好き嫌いも激しく、なにかと薀蓄《うんちく》を垂れたがる。プライドが高い半面、打たれ弱いところもある。精神年齢はたぶん十五歳くらい、わたしのほうはたぶん実年齢と精神年齢がほぼ同じだから、十ほども下という計算になる。

でも好きだった。長所——整った顔立ち、それをくしゃりとゆがめて作るとろけるような笑顔、小柄ながら均整の取れた体つき、機嫌がいいときの陽気さと気前のよさ、ほしいものがあれば一直線に向かっていく真摯《しんし》さ——は、短所を補って余りあった。めんどくさくても、息が詰まっても、かまわなかった。美和の言うとおり、「どうかして」しまっているのだとしても、かまわなかった。

赤い袋にアルファベットで印刷された店の名を読み上げ、シュウはうれしげに言ったものだ。のびのびと無邪気な、美しい笑みを浮かべて。

「アトリエ、だって」

「芸術的だもんなあ、このバゲットは」

扉が開き、制服を着た高校生のカップルが出てきた。女の子のほうが袋をのぞき、少し背伸びするようにして、男の子の耳元で何事かささやいた。ふたりで顔を見合わせ、くつくつと微笑む。店主のおじさんが試作品をおまけにつけてくれたのかもしれない。わたしたちにもよくそうしてくれたように。

わたしはあわてて踵《きびす》を返した。

家に戻って、じかに床へ座りこんだ。泣いてしまいそうだと覚悟したのに、鼻の奥がつんと熱くなったきりで涙は出ず、わたしは膝を抱えてそのまま横向きに倒れた。頬に当たる床がひんやり固かった。

いつまで待っても、涙は流れてこなかった。

次の日は約束した通り、外のレストランにお昼を食べに出た。

「昨日のパンだけど」

注文を終えた美和に切り出され、わたしはとっさに身構えた。

「ちょっと桐子、そんなに怖い顔しないでよ」

美和は苦笑いして言葉を継いだ。

「家庭教師先の生徒にあげてみた。パンが好きな子だから」

この街の住人は、子どもも大人も、なぜか全体的にパンをよく食べる。パン屋と洋菓子屋もやけに多く、店の数は住民ひとりあたりでいえば日本一らしい。情報元がシュウなので真偽のほどはさだかではないが、アパートから大学まで、自転車で十分少しの通勤路だけでも十軒ほどが思い当たるから、案外本当なのかもしれない。

「せっかく買ってきてもらったのに、ごめんね」

わたしはぼそぼそと謝った。この環境でパンを食べないのは確かにもったいないとは思うものの、パンだけはいまだにだめなのだ。ひと月の間、一応は努力もしてきたのだけれど。

あの日、アパートの床に転がったまま、いつしかわたしは寝てしまっていた。気がつくと、閉め切ったカーテンの隙間から朝日が差しこんでいた。起き上がろうとしたら体の節々がきしみ、そのくっきりと現実的な肉体の痛みが、麻痺していた脳みそを蹴り上げた。肩と腰を順番にさすりながら、まずい、とわたしはふいに思った。このままでは、まずい。なにがどうとかははっきり言えないが、とにかくまずい。ひとりぼっちの薄ら寒い部屋の中で、そう切実に思ったのだった。

その後は、だから無理にでも食べることにした。依然として食欲はわかないとはい

「そんな、いきなり言われても」

ここはさすがに調子を合わせかねて、わたしは苦笑した。このままではまずいという自覚はあっても、今はちょっとそういう気分にはなれない。しばらく休養が必要だろう。新しいことを始めるには、まだ少し早い。

「桐子なら大丈夫。根が恋愛体質なんだから、ひとりでいるよりそっちのほうが絶対体にいいよ」

美和は失礼なことを言ってから、ふと眉間にしわを寄せて続けた。

「もしかして、まだ未練があるとか？」

「まさか」

わたしは即座に否定した。もはや、シュウが戻ってくるかもしれないなどと期待するつもりはない。あのひとは自分の考えを決して曲げない。今のわたしに、未練も執着も、ない。ないと思う。

「ほんとに？」

「ほんとだってば」

シュウはもういない。あのときパン屋の店先で、わたしは思い知った。

「ほんとにほんと？」

シュウはもういない。わたしはただ、その事実にまだ慣れていないだけだ。

「……ほんとに、ほんと」

思い知ったはずのその事実が、しかしすぐにぐらついたり遠のいたりするところが、厄介なのだ。ゆだんすると、シュウはそこら中に現れる。家にも、街にも、いたるところに。かろうじて安全なのは、職場くらいだ。

「ほんとに？」

美和はもう一回念を押してから、威勢よく言い放った。

「それなら、ぐずぐずしてないで次にいかなきゃ」

そういえば、わたしが前に失恋したときも、美和はこの調子で励ましてくれた。おそらくアルバイト先で高校生を相手にしているときと同じなのだろう。この年齢になって、高校生と並べられているのもどうかと思うが。

「でも、出会いもないし」

わたしはごまかした。自分のせいにするより、周りのせいにしておいたほうが簡単だ。

「出会いって、そんなの作っちゃえばいいよ。高校生は無理でも大学生はどう？　確かに三号館は絶望的かもしれないけど、どこか他にあるでしょ。院生ならそんなに年も変わらないよ」

無責任に話を広げていく美和を、それより、とわたしはさえぎった。

「美和のほうはどうなの？」

自分の話をするより、他人の話を聞くほうが簡単だ。それに、もう高校生ではないのだから、美和のペースにのみこまれてばかりいるわけにもいかない。

「相変わらずうまくいってる？」

たずねながら、いい感じかもしれない、とちらりと考えた。頭の回転が通常の速さに戻りつつある。わたしは順調に回復している。

「相変わらずは相変わらずだけど……」

美和が乗り出していた上半身をわずかに引いた。他人にはいろいろと説教したり、高校生の恋愛にはしゃいだりしているくせに、自分の話になった途端に歯切れが悪くなるのはいつものことだ。美和は「絶望的」なはずのこの三号館で、同じ研究室の准教授とつきあっている。個性派ぞろいのここでは珍しいタイプの、爽やかで落ち着いた好青年だ。

「うまくいってるって言っていいのかなあ」

恋愛に関して、美和は意外と控えめな性質《たち》なのだった。わたしを「恋愛体質」とからかうのも、自分と比べての部分もあるだろう。わたしが恋の打ち明け話をするたびに、美和は大仰にあきれてみせる。ふだんは慎重だししっかりしてるのにね、根がまじめだから逆にぐぐっといっちゃうのかな、などと分析する。

「高校生を見てると、自分たちの枯れっぷりにかなりあせるよ」

「枯れてるって、なにそれ」

いくら淡白なつきあいといっても、その言いかたはないだろう。わたしが笑っていると、美和は強引に話を戻した。

「桐子はやっぱり高校生を見習ったほうがいいよ、立ち直りも気持ちの切り替えも、とにかく早いの！　若いからお肌も気持ちも代謝がいいんだよ」

「代謝？」

「わかった、桐子にぴったりのひとがいないか、わたしのほうでも探しとく。三号館だって、これだけ男だらけなら分母は多いし、可能性もあるかも」

「分母？」

「ねえ、どんなひとがいい？」

美和はわたしの話をてんで聞かずに、はずんだ声でたたみかけた。口ぶりがどんどん高校生めいてくる。

「どんなひと、ねえ」

わたしはテーブルに頬杖をついた。

「たよりないなあ。じゃあ、わたしが考えたげようか？」

「いいってば」

「いやいや、任せて。そうだな、おおらかで、優しくて、あとは変なこだわりがなくて……」

美和はすらすらと言いかけたものの、はたと口をつぐみ、なあに、とわたしの顔をのぞきこんだ。

「桐子、気に入らないの？　そんなひとじゃ、つまんない？」

「ううん、まさか」

わたしは急いで打ち消した。次はぜひ、美和の言うとおり、おだやかで飾らないひとに出会いたい。第一、本来の好みはそういうタイプだと思う。なぜか周りにそうでない男ばかりが現れるだけで。

「あとはね、桐子のことを大切にしてくれるひと」

美和は真顔でしめくくった。

胸が、ぎゅうとしめつけられた。わたしだって、大切にされたい。おおらかで、優しくて、変なこだわりがないひとのことを、好きになりたい。

「ねえ、美和」

わたしは思わずたずねていた。

「美和は今の彼のこと、どうして好きになった？」

美和はしばらく考えこんだ。それから、

「そうだね」

と、静かに言った。桐子が正しいかも。どんなひとを好きになるかなんて、わかんないね。わかんないし、決められないね。

ちょうどタイカレーがふたつ、運ばれてきた。そういえばエスニックも、シュウの苦手分野だった。香草やココナツミルクの独特な香りを嫌がるのだ。

食べ終えたらおなかがいっぱいになった。

久々の、ちゃんとした満腹感だった。全身がほかほかとあたたかい。食べものが胃の中に正しくおさまり、きちんと消化されていく。

「そういえば、明日から学会なんだよ。一週間も」

大学に戻る途中で、美和が言った。

「ああ、うちの先生も言ってた。こっちもけっこう行くみたい」

「そっか。誰もいなくなるなら、桐子も休みとれば？」

「いや、それが無理なんだ」

わたしは首をふった。こちらの研究室からは全員が出席するわけではなく、居残り組も若干いるらしい。

「惜しいね、どうせならみんなで行ってくれればいいのに」

美和は自分のことのように残念がっている。

「しょうがないよ、仕事だし」

わたしも一応は肩をすくめてみせたものの、実はそうがっかりしているわけでもなかった。平日に休んだところでやることがない。家にいても、確実に時間を持て余してしまうだろう。

「わたしも行きたくないんだけどね」

美和は憂鬱そうだった。会場となる研究施設はとんでもない山奥にあり、近くに遊ぶところは皆無だし、携帯電話の電波すら届かないという。

「じゃあ連絡もとれないんだ」

さびしいな、とわたしが何気なく言うと、美和は申し訳なさそうに謝ってみせた。

「ごめんね。おとなしくお留守番しててね。ランチ、ひとりでも平気？」

「平気だよ」

わたしはふきだした。週末を抜けばたかが五日だ。お昼くらいひとりで食べられる。それこそ、女子高生でもあるまいし。

「わたしはともかく、彼はいいわけ？」

わたしは先ほどのやりとりを思い起こし、聞いてみた。もしシュウだったら、たかが五日とはいえ、放ったらかしにされるなんてがまんならないだろう。

「いいの、いいの」

美和はぞんざいに首をふった。恋人の苦労がしのばれて、わたしはため息をついた。

それをどう勘違いしたのか、

「お土産買ってくるからね」

と、美和は優しい声を出した。


翌日は、ひとりで外へ食べに出ようかとも思ったものの、なんとなく億劫になってやめた。大学の購買部で学生にまじってお弁当を買った。パンコーナーは素通りした。研究室に戻ると、わたしの席にひとが座っていた。誰かはすぐにわかった。件《くだん》の学会への参加者は思いのほか多く、美和がすすめていたようにそれに便乗して休みを取った学生もいて、今日研究室に出てきたのはひとりだけだった。

「なにか、ありました?」

わたしはにこやかに問いかけた。お弁当を温めてしまったのは失敗だった、なにもわざわざ昼休みに用事を言いつけることはないのに、と内心に浮かんだ文句は、口に出さない。もう慣れている。わたしの雇い主たちは、他人の都合を慮《おもんぱか》ろうという発想があまりないのだ。

「あ、ひょっとして、今朝の資料の追加ですか？」

特にこの吉田先生は、中でも個性的というか浮世離れしているというか、なんとも不思議な雰囲気を醸し出している。学生からは仙人というあだ名をつけられているが、本人はそれを気にしている様子はない。そもそも自覚しているかどうかも疑わしい。さすが仙人だけあって、俗世間に一切興味がなさそうに見える。同じ准教授でも、美和の恋人とは全然違う。

「今すぐ必要です？　それとも、午後一番でも大丈夫ですか？」

ふりむいた先生は、目を瞬いた。銀縁の眼鏡をかけ、痩《や》せぎすの長身にいつも白衣を羽織っている。年齢はわからない。おそらく三十代か四十代のはずだが、五十代と言われても違和感はないし、逆に学生といってとおらないこともなさそうだ。要は、本当に見当がつかない。

「いえ、あの」

「お邪魔します」

わたしのすぐ横にすとんと腰を下ろして、机の上に置いてあった紺色の布包みを解《ほど》く。中から出てきたのは、漆塗りの四角いお弁当箱だった。

どうしていいかわからずにぼうっとながめているわたしに向かって、先生は訝《いぶか》しげにたずねた。

「食べないんですか」

「食べます」

それ以外になんとも返事のしようがなく、わたしは小声で答えた。

わたしがレジ袋からお弁当と割り箸、お茶のペットボトルを取り出す間、先生は律儀に待っていた。それらが机に並べ終えられたのを見届けて、丁寧に手のひらを合わせる。

「いただきます」

お弁当の蓋を開けると、ぱかり、と間の抜けた音がした。現れた中身に目をやって、わたしは思わず声をもらした。

「おいしそう」

そんなことを言うつもりはなかった。さっさと食べてしまって、この奇妙な昼餉《ひるげ》から抜け出そうと思っていた。空気を読まない先生に腹を立ててさえいた。それなのに、勝手に言葉が飛び出した。

それほどきれいなお弁当だったのだ。

正方形のいれものの、向かって右半分におかずが入っている。こっくりと茶色い肉のしぐれ煮と焦げ目のついただしまき卵が肩を寄せ合い、野菜はブロッコリーとプチトマトとかぼちゃの煮つけだ。左側には、ひと口大の小さなおにぎりが並んでいる。海苔《のり》のまかれたものがふたつ、青菜とごまのまじったものがふたつ、あとは筍《たけのこ》ごはんがふたつ。

「ありがとうございます」

先生はいったん箸を置いて、礼儀正しく頭を下げた。

わたしは自分の手元に視線を移した。プラスチックの蓋の下には、鶏のからあげとマカロニサラダがつめられている。白いごはんの真ん中には梅干がのっている。ぺったりとめりこんだ実の周りで、米が薄赤く染まっていた。

二日目はちらしずしだった。

ぱかり、と蓋が開くと同時に、つんと酢のにおいが立った。表面に錦糸卵がしきつめられ、その上にふっくり分厚い穴子とまるい海老《えび》、それから薄く斜め切りにしたきぬさやがちりばめられている。

「おいしそうですね」

「ありがとうございます」

同じやりとりを交わしつつも、わたしの気分は昨日とは微妙に違っていた。なんとなく、すっきりしない。もやもやと落ち着かない心持ちのまま、わたしは美しいちらしずしに目をおとす。

こんな凝ったお弁当と、生活の気配というものがかけらもない吉田先生とが、どうしてもうまく結びつかない。

「料理がお上手なんですね」

先生が結婚しているなんて、意外だった。だって仙人なのに。

「ええ、まあ」

謙遜したり照れたりせずに堂々と答えるところは、そう意外でもない。だって仙人だし。

「毎日お弁当なんですか」

「そうですね、基本的には」

奥様は大変ですね、と返しかけて、思いとどまった。皮肉っぽく聞こえてしまうのは嫌だった。ひがんでいるように聞こえてしまうのは、もっと嫌だった。

どんなひとなんだろう。

黙々とちらしずしをほおばる先生の横顔を盗み見て、わたしは思い浮かべてみた。学者の妻といえば内助の功、奥ゆかしく慎ましく夫を支えるイメージがある。きっと吉田夫人も、可憐でおとなしく愛くるしい。エプロンをつけて台所に立ち、家中を完璧に磨き上げて、じっと夫の帰りを待っている。いや、それはステレオタイプに過ぎるだろうか。今時そんな良妻というのも、時代がかっていてちょっと気持ち悪い。料理が上手だからといって、ひとりで台所に閉じこもっているとは限らない。夫にお弁当を持たせて職場へと送り出した後、もっと活動的に、自分の時間を楽しんでいる可能性もある。友達と出かけるとか、趣味にうちこむとか、あるいは、自宅で料理教室を開くとか。

シュウの新しい恋人も、料理が上手だ。

もっとも、上手だ、とわたしが断じるのはおかしいかもしれない。シュウがそんなことを言っていたわけではないし、もちろんわたしは彼女の手料理を食べたことなどない。でも、仮にも料理教室で講師をしているのだから、下手なはずはないだろう。

料理を習いにいくことにしたとシュウが言い出したのは、年が明けてまもなくの頃だった。自然食のレストランが主催する、こぢんまりとした料理教室だと聞いた。わたしは特に賛成も反対もしなかった。食べるのは好きだけれど、もともと作るほうにはそれほど興味がないのだ。シュウのほうも、なるべくなら素人料理よりもプロの作ったちゃんとした料理を食べたいと前に言っていた気がしたが、深くは追求しなかった。どうせまたいつもの気まぐれで、そのうち飽きるだろうと考えたのだ。今となっては、うかつだったというほかない。

先生が箸を置き、お茶を啜《すす》った。

奥さん、どんなひとだろう。わたしはつらつらと想像する。具体的な顔立ちや背格好ばかりではなく、もっと他愛のないことまで――たとえば、エプロンの柄を、スリッパの立てる音を、首筋から漂うシャンプーの香りを。いつのまにか、彼女は会ったともないシュウの恋人に重なっている。どんなひとなんだろう。出口を失った疑問が、わたしの頭の中をぐるぐるとめぐる。

先生とちらしずしを交互に見つめるわたしの視線が、強すぎたのかもしれない。先生がふと顔を上げて、思いついたように聞いた。

「よかったら、ひと口いかがですか」

まだ口をつけていない反対側のほうをこちらに向け、お弁当箱を押し出す。

「けっこうです」

わたしはあせって辞退した。切り口上になってしまったことにさらにあせり、

「あまり食欲がなくて」

とつけ加えた言い訳も、あからさまに不自然に響いた。

「食欲が、ないんですか」

先生は特に気分を害したそぶりもなく、首をかしげた。とぼけているのではないようだった。美和とわたしの会話を漏れ聞く機会は何度もあったに違いないのに、おそらく耳を素通りしていたのだろう。

「はい」

自分で言ってしまった手前、わたしは潔く答えた。

「体調がよくないとか？」

ちょっと風邪気味みたいで。季節の変わり目ですし。いくらでもごまかしはきくものの、そうやって曖昧《あいまい》に濁そうという気は失《う》せていた。

「失恋です」

わたしはぶっきらぼうに打ち明けた。もうどうにでもなれ、と思った。いじましく取り繕うのが、とてつもなく面倒でみじめだった。そうやって虚勢を張ってみたところで、事態はなにひとつ変わらない。

「ちゃんと食べたほうがいいですよ」

先生は、表情を変えずに言った。あわてるでも気まずそうにするでもなく、励ますようでも諭すようでもなく、淡々と教科書を読むように。

「食べてます」

すぐさま答えたわたしの手元を、先生が一瞥した。その目線には非難も同情もこもっていないと知りつつも、わたしはつい言い足していた。

「食べてます、ちゃんと」

コンビニ弁当だって、誰かが作ってくれたものなのだ。見知らぬ誰かではあるけれど、しかたがない。わたしには、わたしのためだけに作ってくれるひとがいないのだ。

「好きな食べものは、なんですか」

先生が質問の方向性を変えた。勢いづいたわたしは、これにも間髪入れずに応じた。

「パン」

です、と続けるべきか、でした、と続けるべきか、迷った。

「パン、ですか」

先生がきょとんとして繰り返すのを聞いて、力が抜けた。わたしはなにをむきになっているのだろう。握りしめていた箸を置き、椅子にもたれかかる。それにしても、どうしてパンと口走ってしまったのか、自分でもよくわからなかった。おすしでもステーキでも、もっとわかりやすい答えはあるだろうに、なぜか、パン。

会話が途切れ、部屋はまた静かになった。運動部の生徒だろうか、窓の外から勇ましいかけ声と歓声が聞こえてくる。

次の金曜日も、それから週明けの月曜日も、わたしたちは一緒に昼休みを過ごした。

ぱかり。

来る日も来る日も、能天気な音とともに、見事なお弁当が現れる。わたしは一瞬、ほんの一瞬だけ、それを先生の手から取り上げて、力任せに床の上へたたきつけてしまいたいような衝動にかられる。黄色い卵焼き、薄紅色の鮭、赤いにんじん、緑のいんげん豆、散らばった色とりどりのおかずが抽象画のように複雑な模様を描くさままで、まならうらに浮かぶ。

でももちろん、わたしはきちんと思いとどまる。思いとどまって、かわりに、ゆるく微笑む。無言で薄く微笑んで、自分が買ってきた出来合いのお弁当に箸をつける。あるいは、おにぎりのビニール包装を破る。

わたしたちは時間をかけてそれぞれの昼食をたいらげる。今日もいい天気ですね、とか、今年の新入生はどんな感じかな、とか、あたりさわりのない言葉を交わしもする。

おいしそうですね、とほめるのはやめた。先生のほうも、ひと口いかがですか、とはもう言わない。

不思議なことに、お弁当をぶちまけてしまいたいという発作的な欲望さえやり過ごしてしまえば、昼食の時間は苦痛ではなかった。わたしの食べているものはかわりばえがしないし、会話といえるような会話もないのに。

無理に話さなくてもかまわないところが、かえっていいのかもしれない。なにせ、相手は仙人なのだ。妙に気を張る必要はない、でも、ひとりきりでもない。ある意味、美和と一緒にいるときよりも平和な心持ちでいられる。

先生の食べかたも、いい。

食べ始める前に必ず祈るように手を合わせ、少しの間瞑目する。そして常にゆっくりと、大事そうに食べる。器用な箸さばきで、魚を繊維にそってほぐし、煮ものはくずれないようにそっとつまむ。きっと食べることが好きなのだろう。シュウと同じだ。ただ先生のほうは、薀蓄やこだわりを並べるのではなく、単純に食べものを慈しんでいるように、食べるという行為そのものを楽しんでいるように、見受けられる。

ぼうっと見入っているうちに、どんなひとなんだろう、とわたしはまたいつのまにか考えている。窓からさしこむ陽光がわずかに翳《かげ》り、廊下を通り過ぎていく学生のざわめきが遠のく。いったいどんな女のひとが、こんなにも夫の表情を和ませる料理を作っているのだろう。

「知らなかったなあ」

街を見下ろしながら、わたしは飽きずに繰り返した。

「知らなかったでしょう」

先生も飽きずに繰り返す。

「わたし、ずっとこのへんに住んでるのに」

「知っている場所は限られているものですよ」

慰めるように、先生は言った。

「長く住めば住むほど、自分と関係のあるところだけを近道でつないで、そこからあまり外れなくなる」

箸で宙に三角形を描いてみせる。それぞれの頂点は、わたしでいえば駅と大学とアパートだろうか。

「確かに」

昔、小学校くらいまでは、よく美和と一緒に近所を探検したものだ。立派なお屋敷や、こぢんまりした教会や、廃業した産婦人科医院の建物なんかを見つけては、いちいち名前をつけた。ラッシーの家（大きなコリーが二頭もいた）、薔薇の教会（さびた鉄柵には色とりどりの薔薇がからみついていた)、おばけ病院(ひびの入った白壁がおどろおどろしく威圧的だった)、というふうに。特に気に入りの場所には、ふたりで相談してしるしをつけた。犬の鼻息にどきどきしながら生垣にリボンを結んだり、咲き乱れる薔薇の根元にこっそりビー玉を埋めたりした。大胆に他人の敷地へと踏みこむ美和に、わたしはおろおろと従うのだった。

大丈夫だよ、と美和はいつも平然と歩みを進めた。大丈夫じゃないよ、とわたしが必死で抗議すると、鼻を鳴らした。わたしたちがおもてを走り回るかわりに家の中で話しこむようになったのは、いくつになった頃からだっただろうか。

ひと月前からは特に、出歩く機会が減っている。ふとした拍子に思い出の影を踏んづけてしまうのが、恐ろしくて。

「きっかけがない限り、なかなか外には目が向きにくい」

先生がひとりごとのようにつぶやいた。

「確かに」

わたしは再びうなずいた。

お弁当を食べ終えた後も、そのままベンチに座って下界をながめた。互いになにか話すでもなく、ぼんやりと風に吹かれる。目の前に広がる風景に、わたしは透明の三角形を重ねてみた。電車が正三角形の頂点をかすめ、右から左へと走り過ぎる。

気がついたら、隣に先生の姿がなかった。

きっちり真上に結び目のついたお弁当包みだけが、ぽつんと置き去りになっている。わたしはベンチに座ったままで上体をひねり、広場全体を見回した。依然として誰もいない。

「先生」

呼んでみたが、返事はなかった。トイレだろうか。公園のどこかに公衆便所があるのかもしれない。それにしても、一声かけてくれればよさそうなものなのに。

「先生」

しばらくしてから、もう少し大きめの声で、また呼んだ。

やはり答えはない。張り上げた声が、強い風にさらわれていく。胸の鼓動が早まった。荷物はここにあるのだから、置いていかれたわけではない。そう頭ではわかっているにもかかわらず、どうしようもなかった。わたしはベンチから立ち上がった。

「吉田先生！」

三度目は、ほとんど叫び声になっていた。頭がじんと痛んだ。咳払いして呼吸を整え、わたしはもう一回息を吸いこんだ。

声を出そうとしたちょうどそのとき、横手の茂みががさがさと音を立てた。揺れた灌木《かんぼく》の向こうから、先生がひょっこり頭をのぞかせた。

「はい、はい」

急に足から力が抜けて、わたしはベンチに座りこんでしまった。

「どこに行ってたんですか？」

「ああ、お待たせしてすみません。これを探していて」

先生はひょいと片手を持ち上げた。

「前に来たときに見かけたんですが、場所を勘違いしていたみたいで」

にぎりしめているのは、一輪の黄色い花だった。ひょろりとたよりなく細い、長い茎の先に、小さな花がびっしりとかたまって咲いている。小さな火花が灯《とも》っているようにも見える。

「たぶん雑草なんだろうけど。きれいでしょう」

先生は悠々と近づいてきて、再びベンチに腰を下ろし、わたしに花を見せた。近くで見ると、ひとつひとつの花が星型をしていた。昔わたしと美和が集めていたプラスチックのビーズ玉みたいだ。わたしはまるいクッキーの缶に、美和はママレードの入っていた罎《びん》に、金平糖の形をしたビーズをためていた。お互いの容器をふると、幾分響きは違うものの、どちらもしゃらしゃらと陽気な音がした。

「どうぞ」

と、先生が言った。

「わたしに?」

つぶやいた途端、花の輪郭が少しずつゆがみ出した。黄色い星がぼやけ、ぐにゃりとふくらんで震えた。

「どうしたんですか?」

先生がわたしの顔を見て、目をみはった。

「大丈夫ですか?」

今まで聞いたことのない、うろたえた口ぶりだった。

わたしは泣いていた。春先の昼下がり、晴れわたった美しい丘の頂上で。困惑顔の仙人の前で。

　大丈夫じゃないです。

　認めてしまえば楽になる。わたしは、全然、大丈夫じゃなかった。

　ひと月分の涙は、いっこうに止まりそうになかった。わたしはだらだらと涙を流しつつ、先生のほうに腕を差し伸べた。そして、ごつごつと節くれだった、こわばった指の間から、黄色い花を抜き取った。

　先生は空になった自分の手のひらに目をおとした。それからその手をそろそろと伸ばし、わたしの背中をそうっとなでてくれた。


　帰り道は、行きとは違う門から公園を出た。山を下り、来たときと同じようにいくつか角を曲がった。

　三つ目だったか、四つ目だったか、十字路を左に折れたところで、いきなり知っている風景にぶつかった。不意打ちだった。先生の背中の向こうにパン屋の赤いひさしをみとめ、わたしはその場で立ち止まった。

　先生がふりむいて首をかしげた。わたしの目線をたどってまた前に向き直り、口を開く。

「寄っていきましょうか」

「え？」

わたしは面食らって聞き返した。

「パン、好きなんでしょう」

「はあ」

「好きなものを食べると、元気が出ます」

先生は真顔だった。ごく普通の、当たり前のことを言っているのに、どことなく哲学的に響くのは、やっぱり仙人の力だろうか。

「いらっしゃいませ」

レジの奥に立っていた店主は、愛想よくわたしたちを迎えた。他に客の姿はない。小麦のにおいが店いっぱいにたちこめている。棚にはずらりとパンが並び、それぞれの名前と値段の表示の横に、新作、とか、焼きたて、とか書いた紙がところどころくっついている。

変わらない。全然、変わっていない。

くらくらした。でも、恐れていたようなこと——たとえば、泣きたくなったり、目の前が真っ暗になったり、床にへたりこんでしまったり——は起こらなかった。そのかわり、わたしはトレーとトングを取り上げた。

パンの棚にぐるりと目を走らせ、焼きたてだというハーブのパンとハーフサイズのバゲットを選ぶ。自然に体が動いた。まだ棚の前で迷っている先生を横目に、レジへと向かう。

会計を済ませ、赤い紙袋を受け取ってふりかえると、すぐ後ろに先生が並んでいた。トレーの上に、わたしの目は吸い寄せられた。ハーブのパンとハーフサイズのバゲットが、ひとつずつのっている。

「ありがとうございました」

先生からトレーを受け取った店主は、あ、そうだ、と思いついたように厨房のほうに顔を向けた。

「あと二、三分で春の新製品が焼き上がりますよ。新玉ねぎとチーズのリュスティック、いかがですか」

「いただきます」

わたしと先生の声がそろった。


美和は元気一杯で帰ってきた。一週間ぶりの昼休み、まだチャイムが鳴る前にやってきた。

「おりこうにしてた？　ひとりでさびしかったでしょう」

やはり、わたしが吉田先生とふたりで昼休みを過ごしていたとは思っていないようだ。一週間前に先生とそういう会話を交わしたことさえ、おそらく忘れてしまっているだろう。

なにから話そうか思案しながら、わたしは美和を見やった。先生より座高がずいぶん低いせいで、椅子の大きさが違って見える。

口を開こうとしたら、先を越された。

「そうそう、これ。桐子に」

美和が机の上にぽんと置いたのは、はちみつだった。手のひらにおさまってしまうくらいの小さなガラス壜に、飛び回るみつばちが描かれたラベルが貼ってある。

「ありがとう」

「ちょうどよかったね」

はちみつの壜と、わたしが手元に置いていたビニール袋とを見比べて、美和はにっこりした。

「そのくるみパンにぴったりだと思うよ。味見してみたら？」

わたしはうなずいて、蓋をひねった。ぱかり、とどこかで聞いたような音がした。

いったん壜を机の上に戻し、くるみパンの袋も開けてひと口分をちぎってしまってから、気づいた。

「あ、スプーンがない」

「そっかあ。持ってきたらよかったな」

「いいよ、家までがまんする。ありがとう」

わたしが蓋を閉めようとしていたら、美和はだしぬけに立ち上がった。

「そうだ、スプーンなら実験室にあるよ」

ちょっと待ってて、と言い残し、小走りに研究室を出ていく。わたしはひとり取り残された。

手持ち無沙汰に、はちみつの壜を目の前にかざしてみる。窓から差しこんでくる光を受けて、金色の液体がとろとろと揺れた。


戻ってきた美和は、吉田先生と一緒だった。

「先生も今から昼休みだって言うから、誘ってみた」

「どうも」

先生はふわりと頭を下げ、机の上に目をとめた。

「今日はパンなんですね」

「先生も」

言いかわすわたしたちを、美和は不思議そうにながめている。先生のほうも、ふたりでお昼を食べていたというのを言いそびれたらしい。今さらこの場でわざわざ説明するのもなんなので、

「ふだんはお弁当ですよね」

と、わたしは言い添えてみた。

「手作りの」

「手作り？」

美和が頓狂な声を上げた。

「まめですねえ、先生！」

とんちんかんなことを言う。なに言ってるの、とわたしが口を挟みかけたのより一瞬早く、先生が答えた。

「ええ、まあ」

わたしはぽかんとして先生を見た。先生のほうは、こちらの視線は気にもとめない。ふたつ向こうのデスクから、てきぱきと椅子を引きずってくる。

「そういえば先生、器用ですもんね。実験もうまいし」

美和が納得顔でほめた。先生は謙遜するでも照れるでもなく、ゆったりと微笑んでいる。

深呼吸してから、わたしは口を開いた。

「スプーンは？」

「ああ、そうだった」

美和が手ににぎっていたものをわたしに差し出した。大中小、三本の計量スプーンが、細い銀色の輪で束ねられている。

「これって」

わたしの問いかけを、先生が引き取った。

「実験用ですね」

「ちゃんと洗ってきたからきれいだよ」

「本当？　薬とかついてたら、危ないんじゃないの？」

「大丈夫だってば」

美和が胸を張る。わたしはあきらめて、一番小さいスプーンではちみつをすくった。くるみパンのかけらにひと匙《さじ》分をのせて、こぼれ落ちてしまわないように急いで口に運ぶ。

甘い。まろやかで濃厚な蜜の味が、舌にじんじん染みとおっていく。

「おいしい？」

見守っていた美和が、身を乗り出して聞いた。

「どう、おいしい？」

おいしい。歯ごたえのあるパンを嚙みしめながら、わたしは大きくうなずいた。おいしい。

「よかったあ」

美和がはじけるような笑顔になる。

「よかった」

やわらかい声で重ねた先生のほうに、わたしはスプーンのささった壜を押しやった。

先生が、神妙に両手を合わせる。ガラスの中に閉じこめられた陽だまりを見つめ、まぶしげに目を細めて。

# 解説

藤田香織

突然ですが、みなさん。これから読む本を手にしたとき、いちばん望んでいることはなんですか？

一冊の本と出会うきっかけは、ネットや雑誌の紹介記事、知人友人のおススメ、タイトルや帯の惹句に誘われて書店で偶然手に取ったなど、千差万別、多種多様だし、その本への期待値も当然、作品によって異なります。

でも、私にはひとつだけ、いついかなるときでも、変わらないものがある。

それは「この本を読んで良かった、と思いたい」という願い。「本を読む」ことを仕事にしている身の上で、まったくもって自分勝手な願いであることは重々承知していますが、正直、この気持ちが、どうしても拭《ぬぐ》いきれません。

改めて語るまでもないけれど、私たちの生きる現実社会は何かと世知辛く、そこら中にストレスの種が転がっています。仕事に疲れ、恋に疲れ、家事に育児に人間関係に疲れ、いつの間にやら気力も体力もすり減ってしまうことは、決して珍しくありません。この現実をしばし忘れたい、気分を変えてリフレッシュしたい。ついつい、小説にそんな救いを求めてしまうのは、私だけではありますまい。となれば、よりストレスを蓄積させるようなハズレ本は避けたい、と思うのが人の常。けれど、世の中にはそれこそ山のように「本」があり、そこから何を選ぶのかもまた一苦労なわけで。「趣味は読書」といえる人たちは、そうした経験から自分のなかで絶対的な信頼を寄せる作家を見つけていくのですが、二〇一〇年現在、私にとっての「救世主作家」のひとりであるのが、他ならぬ本書の著者、瀧羽麻子さんなのです。

その魅力に触れる前に、まずは本書『うさぎパン』について、少しだけ記しておきましょう。

収録されている二つの物語のうち、「うさぎパン」は、二〇〇七年、第二回ダ・ヴページを開けば、遠い世界ではない、私たちが生きている今日と地続きの日々が綴《つづ》られている。

　カテゴリー的には十五歳の優子以外、主人公はみな、二十歳《はたち》を過ぎた年齢的には「大人」ですが、留意して欲しいのは『ネバーラ』の弥生も、『白雪堂』の幸子も、『左京区〜』の花も、『ブーケ』の六人も、まだまだ「階段途中」に居る、ということ。

　それは、四十歳を過ぎた私もまた然り。「不惑」だなんてとんでもない、迷いもあれば、悩みもある。正直、ヘコタレそうなぐらい落ち込むことも、決して珍しくありません。

　でも、だけど。そんなとき、瀧羽さんの小説を読むと、その落ち込んできた気分が、少しだけ（でも確実に！）上向きになる。そして特筆すべきは、身体《からだ》に無理のない、漢方薬的な効用として実感できることにあります。

　傷ついたり、痛んだりした場所を、切り捨てるのでもなく、強引に縫い合わせるのでもなく、瀧羽さんはゆっくり時間をかけて治すために、主人公たちの免疫力を高めていくのです。それを後押しするのが、本書でいえば「パン」になるわけですが、実際、瀧羽さんの小説の登場人物たちは、みな「食べる」ことに、とても積極的。納豆はもちろん『ネバーラ』の社員たちが集う、町で唯一の居酒屋を経営する桃子さんの料理。英気を養うために、幸子たちが飲み交わすジョッキのビール。花が誘われた「タコパ」(たこ焼きパーティー!)。『ブーケ』の理香子に至っては、職業がフードコーディネーターです。

食べて、眠って、働いて、恋をして。そんな「普通」の毎日を、疎《おろそ》かにせず生きる――。精神疲労時の栄養補給に「瀧羽麻子」が効果的なことは、保証させて頂きます。

まずは、ゆっくり、よく嚙《か》んで『うさぎパン』をお召し上がり下さい。

――書評家

この作品は二〇〇七年八月メディアファクトリーより刊行された
『うさぎパン』に書き下ろし小説「はちみつ」を加えたものです。

幻冬舎文庫

●最新刊
男って。
幸せをつかむ男選び
有川ひろみ

ワイルドな男は絶滅寸前、二枚目はバカ男が多い、男の運命は口癖で決まる……。男たちの行動や発言を鋭く分析し、その裏に隠された本質を具体的なエピソードを交えて解説した、痛快エッセイ。

●最新刊
グアテマラの弟
片桐はいり

グアテマラの古都・アンティグアに家と仕事と家族を見つけた弟。ある夏、姉は十三年ぶりに弟一家を訪ねる旅に出た。まばゆい太陽とラテンの文化で心身がほぐれていく。旅と家族の名エッセイ。

●最新刊
真夜中の果物《フルーツ》
加藤千恵

久々に再会した元彼と飲むビールの味、男友達と初めて寝てしまった夜の記憶、不倫相手が帰っていった早朝の電車の音……。三十七人分のせつない記憶を一瞬ずつ切り取った短編小説+短歌集。

●最新刊
研修医純情物語
先生と呼ばないで
川渕圭一

夜な夜なナースの回診に出かけ、高額時給のバイトに勤しむ研修医。パチプロと引きこもりを経て、37歳で研修医になった僕が出会ったおかしな奴ら。実体験を基に綴った医療エンターテインメント。

●最新刊
溝鼠《ドブネズミ》
新堂冬樹

復讐を請け負う代行屋、鷹場英一。人の不幸と餌を愛し、ターゲットに最大の恥辱と底なしの絶望を与えることを何よりの生きがいとしている――。人間の欲望を抉り出す暗黒エンタテインメント。